STARS DU FOOT

AGENDA 2005 - 2006

MANGO Sport

 **MATCHES**
DE LIGUE 1

 MATCHES DE COUPE
DE FRANCE

 MATCHES DE COUPE
DE LA LIGUE

 MATCHES DE LIGUE
DES CHAMPIONS

 MATCHES DE COUPE
DE L'UEFA

 MATCHES DE
L'ÉQUIPE DE FRANCE

mémento personnel

NOM : _Mackie_

Prénom : _Lewis_

Date de naissance : _11/05/93_

Adresse : _____

_____

Tél. : _0173881236_ Portable : _____

e-mail : _____

En cas d'urgence, prévenir : _Miggie Mackie_

_____

Tél. : _0173881236_ Portable : _07736335908_

Docteur : _____

Adresse : _____

_____

Tél. : _____ Portable : _____

Groupe sanguin : _____

Rhésus : _____

médicaments proscrits : _____

_____

compagnie d'asurance : _____

Adresse : _____

_____

Tél. : _____ Numéro de police : _____

N° de sécurité sociale : _____

N° de mutuelle : _____

CALENDRIER 2005
1er semestre

JANVIER
			Sem.
1	S	Jour de l'an	1
2	D	Epiphanie	
3	L	Geneviève	2
4	M	Odilon	
5	M	Edouard	
6	D	Mélaine	
7	V	Raymond	
8	S	Lucien	
9	D	Alix	
10	L	Guillaume	3
11	M	Paulin	
12	M	Tatiana	
13	J	Yvette	
14	V	Nina	
15	S	Rémi	
16	D	Marcel	
17	L	Roseline	4
18	M	Prisca	
19	M	Marius	
20	J	Sébastien	
21	V	Agnès	
22	S	Vincent	
23	D	Barnard	
24	L	Fr. de Sales	5
25	M	Conv. S. Paul	
26	M	Paul	
27	J	Angèle	
28	V	Th. d'Aquin	
29	S	Gildas	
30	D	Marine	
31	L	Marcelle	6

FEVRIER
			Sem.
1	M	Ella	
2	M	Présentation	
3	J	Blaise	
4	V	Véronique	
5	S	Agathe	
6	D	Gaston	
7	L	Eugénie	7
8	M	Mardi-Gras	
9	M	Cendres	
10	J	Arnaud	
11	V	N.-D. Lourdes	
12	S	Félix	
13	D	Béatrice	
14	L	Valentin	8
15	M	Claude	
16	M	Julienne	
17	J	Alexis	
18	V	Bernadette	
19	S	Gabin	
20	D	Aimée	
21	L	P. Damien	9
22	M	Isabelle	
23	M	Lazare	
24	J	Modeste	
25	V	Roméo	
26	S	Nestor	
27	D	Honorine	
28	L	Romain	10

MARS
			Sem.
1	M	Aubin	
2	M	Charles le B.	
3	J	Guénolé	
4	V	Casimir	
5	S	Olive	
6	D	Colette	
7	L	Félicité	11
8	M	Jean de Dieu	
9	M	Françoise	
10	J	Vivien	
11	V	Rosine	
12	S	Justine	
13	D	Rodrigue	
14	L	Mathilde	12
15	M	Louise	
16	M	Bénédicte	
17	J	Patrice	
18	V	Cyrille	
19	S	Joseph	
20	D	Rameaux	
21	L	PRINTEMPS	13
22	M	Léa	
23	M	Victorien	
24	J	Cath. de Suède	
25	V	Humbert	
26	S	Larissa	
27	D	PAQUES	
28	L	L. de PAQUES	14
29	M	Gwladys	
30	M	Amédée	
31	J	Benjamin	

AVRIL
			Sem.
1	V	Hugues	
2	S	Sandrine	
3	D	Richard	
4	L	Isidore	15
5	M	Irène	
6	M	Marcellin	
7	J	J.-B. de la S.	
8	V	Annonciation	
9	S	Gauthier	
10	D	Fulbert	
11	L	Stanislas	16
12	M	Jules	
13	M	Ida	
14	J	Maxime	
15	V	Paterne	
16	S	Benoît-J.	
17	D	Anicet	
18	L	Parfait	17
19	M	Emma	
20	M	Odette	
21	J	Anselme	
22	V	Alexandre	
23	S	Georges	
24	D	Fidèle	
25	L	Marc	18
26	M	Alida	
27	M	Zita	
28	J	Jour du Souv.	
29	V	Cath. de Si.	
30	S	Robert	

MAI
			Sem.
1	D	F. du TRAVAIL	
2	L	Boris	19
3	M	Phil., Jacq.	
4	M	Sylvain	
5	J	ASCENSION	
6	V	Prudence	
7	S	Gisèle	
8	D	VICTOIRE 45	
9	L	Pacôme	20
10	M	Solange	
11	M	Estelle	
12	J	Achille	
13	V	Rolande	
14	S	Matthias	
15	D	PENTECÔTE	21
16	L	L. de PENTECÔTE	
17	M	Pascal	
18	M	Eric	
19	J	Yves	
20	V	Bernardin	
21	S	Constantin	
22	D	Emile	22
23	L	Didier	
24	M	Donatien	
25	M	Sophie	
26	J	Bérenger	
27	V	Augustin	
28	S	Germain	
29	D	F. des Mères	23
30	L	Ferdinand	
31	M	Visitation	

JUIN
			Sem.
1	M	Justin	
2	J	Blandine	
3	V	Kévin	
4	S	Clotilde	
5	D	Igor	24
6	L	Norbert	
7	M	Gilbert	
8	M	Médard	
9	J	Diane	
10	V	Landry	
11	S	Barnabé	
12	D	F. des Pères	25
13	L	Antoine de P.	
14	M	Elisée	
15	M	Germaine	
16	J	J.-Fr. Régis	
17	V	Hervé	
18	S	Léonce	
19	D	Romuald	26
20	L	Silvère	
21	M	ETE	
22	M	Alban	
23	J	Audrey	
24	V	Jean-Bapt.	
25	S	Prosper	
26	D	Anthelme	27
27	L	Fernand	
28	M	Irénée	
29	M	Pierre, Paul	
30	J	Martial	

CALENDRIER 2005
2e semestre

JUILLET
			Sem.
1	V	Thierry	
2	S	Martinien	
3	D	Thomas	
4	L	Florent	28
5	M	Antoine	
6	M	Mariette	
7	J	Raoul	
8	V	Thibault	
9	S	Amandine	
10	D	Ulrich	
11	L	Benoît	29
12	M	Olivier	
13	M	Henri, Joël	
14	J	FÊTE NAT.	
15	V	Donald	
16	S	N.-D. Mt-Carmel	
17	D	Charlotte	
18	L	Frédéric	30
19	M	Arsène	
20	M	Marina	
21	J	Victor	
22	V	Marie-Mad.	
23	S	Brigitte	
24	D	Christine	
25	L	Jacques	31
26	M	Anne, Joach.	
27	M	Nathalie	
28	J	Samson	
29	V	Marthe	
30	S	Juliette	
31	D	Ignace de L.	

AOÛT
			Sem.
1	L	Alphonse	32
2	M	Julien-Eym.	
3	M	Lydie	
4	J	J.-M. Vianney	
5	V	Abel	
6	S	Transfiguration	
7	D	Gaétan	
8	L	Dominique	33
9	M	Amour	
10	M	Laurent	
11	J	Claire	
12	V	Clarisse	
13	S	Hippolyte	
14	D	Evrard	
15	L	ASSOMPTION	34
16	M	Armel	
17	M	Hyacinthe	
18	J	Hélène	
19	V	Jean-Eudes	
20	S	Berbard	
21	D	Christophe	
22	L	Fabrice	35
23	M	Rose de L.	
24	M	Barthélemy	
25	J	Louis	
26	V	Natacha	
27	S	Monique	
28	D	Augustin	
29	L	Sabine	36
30	M	Fiacre	
31	M	Aristide	

SEPTEMBRE
			Sem.
1	J	Gilles	
2	V	Ingrid	
3	S	Grégoire	
4	D	Rosalie	
5	L	Raïssa	37
6	M	Bertrand	
7	M	Reine	
8	J	Nativité N.-D.	
9	V	Alain	
10	S	Inès	
11	D	Adelphe	
12	L	Apollinaire	38
13	M	Aimé	
14	M	La Ste Croix	
15	J	Roland	
16	V	Edith	
17	S	Renaud	
18	D	Nadège	39
19	L	Emilie	
20	M	Davy	
21	M	Matthieu	
22	J	Maurice	
23	V	AUTOMNE	
24	S	Thècle	
25	D	Hermann	40
26	L	Côme, Dam.	
27	M	V. de Paul	
28	M	Venceslas	
29	J	Michel	
30	V	Jérôme	

OCTOBRE
			Sem.
1	S	Thér. de l'E.	
2	D	Léger	
3	L	Gérard	41
4	M	Fr. d'Assise	
5	M	Fleur	
6	J	Bruno	
7	V	Serge	
8	S	Pélagie	
9	D	Denis	
10	L	Ghislain	42
11	M	Firmin	
12	M	Wilfried	
13	J	Géraud	
14	V	Juste	
15	S	Thér. d'Avila	
16	D	Edwige	
17	L	Baudoin	43
18	M	Luc	
19	M	René	
20	J	Adeline	
21	V	Céline	
22	S	Elodie	
23	D	Jean de C.	
24	L	Florentin	44
25	M	Crépin	
26	M	Dimitri	
27	J	Emeline	
28	V	Simon, Jude	
29	S	Narcisse	
30	D	Bienvenue	
31	L	Quentin	45

NOVEMBRE
			Sem.
1	M	TOUSSAINT	
2	M	DEFUNT	
3	J	Hubert	
4	V	Charles	
5	S	Sylvie	
6	D	Bertille	46
7	L	Carine	
8	M	Geoffroy	
9	M	Théodore	
10	J	Léon	
11	V	ARMISTICE 18	
12	S	Christian	
13	D	Brice	47
14	L	Sidoine	
15	M	Albert	
16	M	Marguerite	
17	J	Elisabeth	
18	V	Aude	
19	S	Tanguy	
20	D	Edmond	48
21	L	Prés. Marie	
22	M	Cécile	
23	M	Clément	
24	J	Flora	
25	V	Cath. L.	
26	S	Delphine	
27	D	Séverin	49
28	L	Jacq. de la M.	
29	M	Saturnin	
30	M	André	

DECEMBRE
			Sem.
1	J	Avent	
2	V	Viviane	
3	S	Xavier	
4	D	Barbara	50
5	L	Gérald	
6	M	Nicolas	
7	M	Ambroise	
8	J	Elfried	
9	V	Im. Concept.	
10	S	Romaric	
11	D	Daniel	51
12	L	Jean. Fr.-Ch.	
13	M	Lucie	
14	M	Odile	
15	J	Ninon	
16	V	Alice	
17	S	Gaël	
18	D	Gatien	52
19	L	Urbain	
20	M	Abraham	
21	M	Pierre C.	
22	J	HIVER	
23	V	Armand	
24	S	Adèle	
25	D	NOËL	53
26	L	Etienne	
27	M	Jean	
28	M	Innocents	
29	J	David	
30	V	Roger	
31	S	Sylvestre	

CALENDRIER 2006
1er semestre

JANVIER
1	D	JOUR de l'AN
2	L	Epiphanie
3	M	Geneviève
4	M	Odilon
5	J	Edouard
6	V	Mélaine
7	S	Raymond
8	D	Lucien
9	L	Alix
10	M	Guillaume
11	M	Paulin
12	J	Tatiana
13	V	Yvette
14	S	Nina
15	D	Rémi
16	L	Marcel
17	M	Roseline
18	M	Prisca
19	J	Marius
20	V	Sébastien
21	S	Agnès
22	D	Vincent
23	L	Barnard
24	M	Fr. de Sales
25	M	Conv. S. Paul
26	J	Paul
27	V	Angèle
28	S	Th. d'Aquin
29	D	Gildas
30	L	Marine
31	M	Marcelle

FEVRIER
1	M	Ella
2	J	Présentation
3	V	Blaise
4	S	Véronique
5	D	Agathe
6	L	Gaston
7	M	Eugénie
8	M	Jacqueline
9	J	Appoline
10	V	Arnaud
11	S	N.-D. Lourdes
12	D	Félix
13	L	Béatrice
14	M	Valentin
15	M	Claude
16	J	Julienne
17	V	Alexis
18	S	Bernadette
19	D	Gabin
20	L	Aimée
21	M	P. Damien
22	M	Isabelle
23	J	Lazare
24	V	Modeste
25	S	Roméo
26	D	Nestor
27	L	Honorine
28	M	Mardi-Gras

MARS
1	M	Cendres
2	J	Charles le B.
3	V	Guénolé
4	S	Casimir
5	D	Olive
6	L	Colette
7	M	Félicité
8	M	Jean de Dieu
9	J	Françoise
10	V	Vivien
11	S	Rosine
12	D	Justine
13	L	Rodrigue
14	M	Mathilde
15	M	Louise
16	J	Bénédicte
17	V	Patrice
18	S	Cyrille
19	D	Joseph
20	L	PRINTEMPS
21	M	Clémence
22	M	Léa
23	J	Victorien
24	V	Cath. de Suède
25	S	Humbert
26	D	Larissa
27	L	Habib
28	M	Gontran
29	M	Gwladys
30	J	Amédée
31	V	Benjamin

AVRIL
1	S	Hugues
2	D	Sandrine
3	L	Richard
4	M	Isidore
5	M	Irène
6	J	Marcellin
7	V	J.-B. de la S.
8	S	Annonciation
9	D	Rameaux
10	L	Fulbert
11	M	Stanislas
12	M	Jules
13	J	Ida
14	V	Maxime
15	S	Paterne
16	D	PAQUES
17	L	L. de PAQUES
18	M	Parfait
19	M	Emma
20	J	Odette
21	V	Anselme
22	S	Alexandre
23	D	Georges
24	L	Fidèle
25	M	Marc
26	M	Alida
27	J	Zita
28	V	Jour du Souv.
29	S	Cath. de Si.
30	D	Robert

MAI
1	L	F. du TRAVAIL
2	M	Boris
3	M	Phil., Jacq.
4	J	Sylvain
5	V	Judith
6	S	Prudence
7	D	Gisèle
8	L	VICTOIRE 45
9	M	Pacôme
10	M	Solange
11	J	Estelle
12	V	Jean.-d'Arc
13	S	Rolande
14	D	Matthias
15	L	Denise
16	M	Honoré
17	M	Pascal
18	J	Eric
19	V	Yves
20	S	Bernardin
21	D	Constantin
22	L	Emile
23	M	Didier
24	M	Donatien
25	J	ASCENSION
26	V	Bérenger
27	S	Augustin
28	D	F. des Mères
29	L	Aymar
30	M	Ferdinand
31	M	Visitation

JUIN
1	J	Justin
2	V	Blandine
3	S	Kévin
4	D	PENTECOTE
5	L	L. de PENTEC.
6	M	Norbert
7	M	Gilbert
8	J	Médard
9	V	Diane
10	S	Landry
11	D	F. des Pères
12	L	Guy
13	M	Antoine de P.
14	M	Elisée
15	J	Germaine
16	V	J.-Fr. Régis
17	S	Hervé
18	D	Léonce
19	L	Romuald
20	M	Silvère
21	M	ETE
22	J	Alban
23	V	Audrey
24	S	Jean-Bapt.
25	D	Prosper
26	L	Anthelme
27	M	Fernand
28	M	Irénée
29	J	Pierre, Paul
30	V	Martial

CALENDRIER 2006
2e semestre

JUILLET
1	S	Thierry
2	D	Martinien
3	L	Thomas
4	M	Florent
5	M	Antoine
6	J	Mariette
7	V	Raoul
8	S	Thibault
9	D	Amandine
10	L	Ulrich
11	M	Benoît
12	M	Olivier
13	J	Henri, Joël
14	V	FÊTE NAT.
15	S	Donald
16	D	N.-D.Mt-Carmel
17	L	Charlotte
18	M	Frédéric
19	M	Arsène
20	J	Marina
21	V	Victor
22	S	Marie-Mad.
23	D	Brigitte
24	L	Christine
25	M	Jacques
26	M	Anne, Joach.
27	J	Nathalie
28	V	Samson
29	S	Marthe
30	D	Juliette
31	L	Ignace de L.

AOÛT
1	M	Alphonse
2	M	Julien-Eym.
3	J	Lydie
4	V	J.-M. Vianney
5	S	Abel
6	D	Transfiguration
7	L	Gaétan
8	M	Dominique
9	M	Amour
10	J	Laurent
11	V	Claire
12	S	Clarisse
13	D	Hippolyte
14	L	Evrard
15	M	ASSOMPTION
16	M	Armel
17	J	Hyacinthe
18	V	Hélène
19	S	Jean-Eudes
20	D	Bernard
21	L	Christophe
22	M	Fabrice
23	M	Rose de L.
24	J	Barthélemy
25	V	Louis
26	S	Natacha
27	D	Monique
28	L	Augustin
29	M	Sabine
30	M	Fiacre
31	J	Aristide

SEPTEMBRE
1	V	Gilles
2	S	Ingrid
3	D	Grégoire
4	L	Rosalie
5	M	Raïssa
6	M	Bertrand
7	J	Reine
8	V	Nativité N.-D.
9	S	Alain
10	D	Inès
11	L	Adelphe
12	M	Apollinaire
13	M	Aimé
14	J	La Ste Croix
15	V	Roland
16	S	Edith
17	D	Renaud
18	L	Nadège
19	M	Emilie
20	M	Davy
21	J	Matthieu
22	V	Maurice
23	S	AUTOMNE
24	D	Thècle
25	L	Hermann
26	M	Côme, Dam.
27	M	V. de Paul
28	J	Venceslas
29	V	Michel
30	S	Jérôme

OCTOBRE
1	D	Thér. de l'E.
2	L	Léger
3	M	Gérard
4	M	Fr. d'Assise
5	J	Fleur
6	V	Bruno
7	S	Serge
8	D	Pélagie
9	L	Denis
10	M	Ghislain
11	M	Firmin
12	J	Wilfried
13	V	Géraud
14	S	Juste
15	D	Thér. d'Avila
16	L	Edwige
17	M	Baudoin
18	M	Luc
19	J	René
20	V	Adeline
21	S	Céline
22	D	Elodie
23	L	Jean de C.
24	M	Florentin
25	M	Crépin
26	J	Dimitri
27	V	Emeline
28	S	Simon, Jude
29	D	Narcisse
30	L	Bienvenue
31	M	Quentin

NOVEMBRE
1	M	TOUSSAINT
2	J	DEFUNT
3	V	Hubert
4	S	Charles
5	D	Sylvie
6	L	Bertille
7	M	Carine
8	M	Geoffroy
9	J	Théodore
10	V	Léon
11	S	ARMISTICE 18
12	D	Christian
13	L	Brice
14	M	Sidoine
15	M	Albert
16	J	Marguerite
17	V	Elisabeth
18	S	Aude
19	D	Tanguy
20	L	Edmond
21	M	Prés. Marie
22	M	Cécile
23	J	Clément
24	V	Flora
25	S	Cath. L.
26	D	Delphine
27	L	Séverin
28	M	Jacq. de la M.
29	M	Saturnin
30	J	André

DECEMBRE
1	V	Avent
2	S	Viviane
3	D	Xavier
4	L	Barbara
5	M	Gérald
6	M	Nicolas
7	J	Ambroise
8	V	Elfried
9	S	Im. Concept.
10	D	Romaric
11	L	Daniel
12	M	Jean. Fr.-Ch.
13	M	Lucie
14	J	Odile
15	V	Ninon
16	S	Alice
17	D	Gaël
18	L	Gatien
19	M	Urbain
20	M	Abraham
21	J	Pierre C.
22	V	HIVER
23	S	Armand
24	D	Adèle
25	L	NOËL
26	M	Etienne
27	M	Jean
28	J	Innocents
29	V	David
30	S	Roger
31	D	Sylvestre

EMPLOI DU

lundi	mardi	mercredi	jeudi
7	7	7	7
30	30	30	30
8	8	8	8
30	30	30	30
9	9	9	9
30	30	30	30
10	10	10	10
30	30	30	30
11	11	11	11
30	30	30	30
12	12	12	12
30	30	30	30
13	13	13	13
30	30	30	30
14	14	14	14
30	30	30	30
15	15	15	15
30	30	30	30
16	16	16	16
30	30	30	30
17	17	17	17
30	30	30	30
18	18	18	18
30	30	30	30
19	19	19	19
30	30	30	30
20	20	20	20
30	30	30	30
21	21	21	21
30	30	30	30

TEMPS

vendredi	samedi	dimanche

		7		**7**
		30		30
		8		**8**
		30		30
		9		**9**
		30		30
		10		**10**
		30		30
		11		**11**
		30		30
		12		**12**
		30		30
		13		**13**
		30		30
		14		**14**
		30		30
		15		**15**
		30		30
		16		**16**
		30		30
		17		**17**
		30		30
		18		**18**
		30		30
		19		**19**
		30		30
		20		**20**
		30		30
		21		**21**
		30		30

sites favoris

● HTTP:// WWW CelticFC.Net

● contenu :_____

● HTTP:// _____

● contenu :_____

● HTTP:// _____

● contenu :_____

● HTTP:// _____

● contenu :_____

● HTTP:// _____

● contenu :_____

● HTTP:// _____

● contenu :_____

vacances scolaires
2005/2006

zone A

Caen, Clermont-Ferrand,
Grenoble, Lyon, Montpellier,
Nancy-metz, Nantes,
Rennes, Toulouse

Rentrée scolaire
des élèves
le vendredi [02-09-05]

Toussaint
du samedi [22-10-05]
au jeudi [03-11-05]

Noël
du samedi [17-12-05]
au mardi [03-01-06]

Hiver
du samedi [18-02-06]
au lundi [06-03-06]

Printemps
du samedi [22-04-06]
au mardi [09-05-06]

Début des
vacances d'été
le mardi [04-07-06]

zone B

Aix-marseille, Amiens,
Besançon, Dijon, Lille,
Limoges, Nice, Orléans-
Tours, Poitiers, Reims,
Rouen, Strasbourg

Rentrée scolaire
des élèves
le vendredi [02-09-05]

Toussaint
du samedi [22-10-05]
au jeudi [03-11-05]

Noël
du samedi [17-12-05]
au mardi [03-01-06]

Hiver
du samedi [11-02-06]
au lundi [27-02-06]

Printemps
du samedi [15-04-06]
au mardi [02-05-06]

Début des
vacances d'été
le mardi [04-07-06]

zone C

Bordeaux, Créteil, Paris,
Versailles

Rentrée scolaire
des élèves
le vendredi [02-09-05]

Toussaint
du samedi [22-10-05]
au jeudi [03-11-05]

Noël
du samedi [17-12-05]
au mardi [03-01-06]

Hiver
du samedi [04-02-06]
au lundi [20-02-06]

Printemps
du samedi [08-04-06]
au lundi [24-04-06]

Début des
vacances d'été
le mardi [04-07-06]

Le départ en vacances a lieu après la classe, la reprise des cours le matin des jours indiqués.

calendrier Gé
compétitions

	Juillet		Août		Septembre		Octobre		Novembre		Décem
1	Ve		Lu		Je		Sa	10	Ma		Je
2	Sa		Ma		Ve		Di		Me		Ve
3	Di		Me		Sa		Lu		Je		Sa	1
4	Lu		Je		Di		Ma		Ve		Di
5	Ma		Ve		Lu		Me		Sa	14	Lu
6	Me		Sa	2	Ma		Je		Di		Ma
7	Je		Di		Me		Ve		Lu		Me
8	Ve		Lu		Je		Sa		Ma		Je
9	Sa		Ma		Ve		Di		Me		Ve
10	Di		Me		Sa	6	Lu		Je		Sa	18
11	Lu		Je		Di		Ma		Ve		Di
12	Ma		Ve		Lu		Me		Sa		Lu
13	Me		Sa	3	Ma		Je		Di		Ma
14	Je		Di		Me		Ve		Lu		Me
15	Ve		Lu		Je		Sa	11	Ma		Je
16	Sa		Ma		Ve		Di		Me		Ve
17	Di		Me		Sa	7	Lu		Je		Sa	1
18	Lu		Je		Di		Ma		Ve		Di
19	Ma		Ve		Lu		Me		Sa	15 T:17	Lu
20	Me		Sa	4	Ma		Je		Di		Ma	1/
21	Je		Di		Me	8 1er T	Ve		Lu		Me	1/
22	Ve		Lu		Je		Sa	12	Ma		Je
23	Sa		Ma		Ve		Di		Me		Ve
24	Di		Me		Sa	9	Lu		Je		Sa
25	Lu		Je		Di		Ma	1/16	Ve		Di
26	Ma		Ve		Lu		Me	1/16	Sa	16	Lu
27	Me		Sa	5	Ma		Je		Di		Ma
28	Je		Di		Me		Ve		Lu		Me
29	Ve		Lu		Je		Sa	13	Ma		Je
30	Sa	1	Ma		Ve		Di		Me		Ve
31	Di		Me				Lu				Sa

Trophée des Champions

Ligue 1 Orange

Janvier	Février	Mars	Avril	Mai	Juin
	Me 1/16	Me	Sa 33	Lu	Je
	Je	Je	Di	Ma 1/2	Ve
	Ve	Ve	Lu	Me 1/2	Sa
20	Sa 25	Sa 29	Ma	Je	Di
	Di	Di	Me	Ve	Lu
	Lu	Lu	Je	Sa 37	Ma
1/32	Ma 1/2	Ma	Ve	Di	Me
1/32	Me 1/2	Me	Sa 34	Lu	Je
	Je	Je	Di	Ma	Ve
	Ve	Ve	Lu	Me	Sa
21	Sa 26	Sa 30	Ma 1/4	Je	Di
	Di	Di	Me 1/4	Ve	Lu
	Lu	Lu	Je	Sa 38	Ma
22	Ma	Ma	Ve	Di	Me
	Me	Me	Sa 35	Lu	Je
	Je	Je	Di	Ma	Ve
1/4	Ve	Ve	Lu	Me	Sa **Coupe**
1/4	Sa 27	Sa 31	Ma	Je	Di **du**
	Di	Di	Me	Ve	Lu **Monde**
	Lu	Lu	Je	Sa **Finale**	Ma
23	Ma	Ma 1/8	Ve	Di	Me
	Me	Me 1/8	Sa **Finale**	Lu	Je
	Je	Je	Di	Ma	Ve
	Ve	Ve	Lu	Me	Sa
24	Sa 28	Sa 32	Ma	Je	Di
	Di	Di	Me	Ve	Lu
	Lu	Lu	Je	Sa	Ma
	Ma	Ma	Ve	Di	
		Me	Sa 36	Lu	Je
		Je	Di	Ma	Ve
1/16		Ve		Me	

Match équipe de France   Coupe de France

Coupe de la Ligue

	Juillet		Août		Septembre		Octobre		Novembre		Décem	
1	Ve		Lu		Je		Sa		Ma	4ème J Poule	Je	4ème J P
2	Sa		Ma	♀	Ve		Di		Me	4ème J Poule	Ve	
3	Di		Me	♀	Sa		Lu		Je	2ème J Poule	Sa	2ème J
4	Lu		Je		Di		Ma		Ve		Di	
5	Ma		Ve		Lu		Me		Sa		Lu	
6	Me		Sa		Ma		Je		Di		Ma	6ème J
7	Je		Di		Me		Ve		Lu		Me	6ème J
8	Ve		Lu		Je		Sa		Ma		Je	
9	Sa		Ma	♀	Ve		Di		Me		Ve	
10	Di		Me	♀	Sa		Lu		Je		Sa	
11	Lu		Je	♀	Di		Ma		Ve		Di	
12	Ma	♀	Ve		Lu		Me		Sa		Lu	
13	Me	♀	Sa		Ma	1ère J Poule	Je		Di		Ma	
14	Je		Di		Me	1ère J Poule	Ve		Lu		Me	5ème J
15	Ve		Lu		Je	1er T	Sa		Ma		Je	5ème J
16	Sa		Ma		Ve		Di		Me		Ve	
17	Di		Me		Sa		Lu		Je		Sa	
18	Lu	♀	Je		Di		Ma	3ème J Poule	Ve		Di	
19	Ma	♀	Ve		Lu		Me	3ème J Poule	Sa		Lu	
20	Me		Sa		Ma		Je	1ère J Poule	Di		Ma	
21	Je		Di		Me		Ve		Lu		Me	
22	Ve		Lu		Je		Sa		Ma	5ème J Poule	Je	
23	Sa		Ma	♀	Ve		Di		Me	5ème J Poule	Ve	
24	Di		Me	♀	Sa		Lu		Je	3ème J Poule	Sa	
25	Lu		Je	♀	Di		Ma		Ve		Di	
26	Ma	♀	Ve		Lu		Me		Sa		Lu	
27	Me	♀	Sa		Ma	2ème J Poule	Je		Di		Ma	
28	Je	♀	Di		Me	2ème J Poule	Ve		Lu		Me	
29	Ve		Lu		Je	1er T	Sa		Ma		Je	
30	Sa		Ma		Ve		Di		Me		Ve	
31	Di		Me				Lu			4ème J Poule	Sa	

 Ligue des Champions

 Coupe UEFA

nvier	Février		Mars		Avril		Mai		Juin	
	Me		Me		Sa		Lu		Je	
	Je		Je		Di		Ma		Ve	
	Ve		Ve		Lu		Me		Sa	
	Sa		Sa		Ma	1/4 retour	Je		Di	
	Di		Di		Me	1/4 retour	Ve		Lu	
	Lu		Lu		Je	1/4 retour	Sa		Ma	
	Ma		Ma	1/8 retour	Ve		Di		Me	
	Me		Me	1/8 retour	Sa		Lu		Je	
	Je		Je	1/8 retour	Di		Ma		Ve	
	Ve		Ve		Lu		Me	E2 Finale	Sa	
	Sa		Sa		Ma		Je		Di	
	Di		Di		Me		Ve		Lu	
	Lu		Lu		Je		Sa		Ma	
	Ma		Ma		Ve		Di		Me	
	Me	1/16 aller	Me	1/8 retour	Sa		Lu		Je	
	Je	1/16 aller	Je	1/8 retour	Di		Ma		Ve	
	Ve		Ve		Lu		Me	E1 Finale	Sa	
	Sa		Sa		Ma	1/2 aller	Je		Di	
	Di		Di		Me	1/2 aller	Ve		Lu	
	Lu		Lu		Je	1/2 aller	Sa		Ma	
	Ma	1/8 aller	Ma		Ve		Di		Me	
	Me	1/8 aller	Me		Sa		Lu		Je	
	Je	1/16 retour	Je		Di		Ma		Ve	
	Ve		Ve		Lu		Me		Sa	
	Sa		Sa		Ma	1/2 retour	Je		Di	
	Di		Di		Me	1/2 retour	Ve		Lu	
	Lu		Lu		Je	1/2 retour	Sa		Ma	
	Ma		Ma	1/4 aller	Ve		Di			
			Me	1/4 aller	Sa		Lu		Je	
			Je	1/4 aller	Di		Ma		Ve	
			Ve				Me			

lundi 29 Sainte Sabine

7 ....
....
8 ....
....
9 ....
....
10 ....
....
11 ....
....
12 ....
....
13 ....
....
14 ....
....
15 ....
....
16 ....
....
17 ....
....
18 ....
....
19 ....
....
20 ....
....
21 ....
....

mardi 30 Saint Fiacre

7 ....
....
8 ....
....
9 ....
....
10 ....
....
11 ....
....
12 ....
....
13 ....
....
14 ....
....
15 ....
....
16 ....
....
17 ....
....
18 ....
....
19 ....
....
20 ....
....
21 ....
....

mercredi 31 Saint Aristide

RONALDO
Real Madrid – n° 9, né le 22/09/1976

« Le Phénomène » est une comète dont l'atterrissage a ébranlé la planète football. Monstre de puissance, de vélocité et de technique, Ronaldo est l'un des seuls joueurs capables de traverser un terrain entier balle au pied et d'aller marquer. Arrivé au PSV Eindhoven en provenance de Cruzeiro, à 17 ans, avec pour ambition de remplacer Romario, Luiz Nazario de Lima – c'est son vrai nom – va affoler tous les compteurs et marquer 42 buts en 45 matches de championnat. Transféré au Barça en 1996, puis à l'Inter Milan la saison suivante, Ronaldo connaîtra la gloire puis la déchéance pendant deux ans, suite à deux ruptures des ligaments croisés du genou. Véritable phénix, le Brésilien renaîtra de ses cendres sous les couleurs du Real Madrid qui l'achète pour 45 millions d'euros, et pour qui il sème la terreur dans les surfaces adverses.

jeudi 1 <small>Saint Gilles</small>

7
8
9
10
11
12
13
14
15
16
17
18
19
20
21

vendredi 2 <small>Sainte Ingrid</small>

7
8
9
10
11
12
13
14
15
16
17
18
19
20
21

ANNIVERSAIRE GULLIT

France-Îles Féroé (éliminatoires CdM)

samedi 3 Saint Grégoire

....
....
....
....
....
....
....
....
....
....

dimanche 4 Sainte Rosalie

....
....
....
....
....
....
....
....
....
....
....
....

septembre
Quiz?

01 Qui est le frère de Raï ?
Zico — Socratès — Romario.

02 Combien de fois Lothar Matthäus
a-t-il été champion du monde
avec l'Allemagne ?
1— 2 — 3.

03 Combien de Ballons d'Or
Marco Van Basten a-t-il remporté ?
2 — 3 — 4.

04 En quelle année Silvio Berlusconi
a-t-il acheté le Milan AC ?
1983 — 1986 — 1988.

05 Quelle(s) nationalité(s) a portée(s)
Alfredo Di Stefano, l'ancienne
gloire du Real Madrid ?
Argentine — argentine-espagnole —
argentine-colombienne-espagnole.

05 : argentine-colombienne-espagnole.
01 : Socratès / 02 : 1 / 03 : 3 / 04 : 1986
RÉPONSES:

lundi 5 Sainte Raïssa

7

8

9

10

11

12

13

14

15

16

17

18

19

20

21

mardi 6 Saint Bertrand

7

8

9

10

11

12

13

14

15

16

17

18

19

20

21

République d'Irlande-France (éliminatoires CdM)

mercredi7 Sainte Reine

DECO

FC Barcelone – n° 20, né le 27/09/1977

À 27 ans, Anderson Luis de Souza, dit
« Deco », pointe au sommet de son art et
fait les beaux jours du FC Barcelone avec
sa cohorte d'étoiles. Pourtant, ce Brésilien
de naissance, naturalisé portugais avant
l'Euro 2003, tarde à se révéler. À vingt ans,
alors qu'il évolue dans la modeste équipe du
FC Alverca, sa vision du jeu et son sens du
collectif sont enfin remarqués par les
recruteurs du SC Salgeiros, un club de
SuperLiga portugaise qu'il intègre en 1998.
Le jeune Deco s'adapte si rapidement à ses
nouvelles couleurs que les dirigeants du
FC Porto le transfèrent lors du mercato.
Deco devient une star et le véritable
dépositaire du jeu du FC Porto, qu'il mènera
à la consécration avec un triplé historique :
championnat, coupe et Ligue des
Champions 2004.

jeudi 8 Nativité N.-D.

7

8

9

10

11

12

13

14

15

16

17

18

19

20

21

vendredi 9 Saint Alain

7

8

9

10

11

12

13

14

15

16

17

18

19

20

21

6ᵉ journée

samedi 10
Sainte Inès

:
:
10
11
12
13
14
15
16
17
18
19

dimanche 11
Saint Adelphe

:
:
20
21
22
23
24
25
26
27
28
29

▶ **ANNIVERSAIRE BECKENBAUER**

septembre
QUIZ?

05 Dans quel stade évolue
Manchester United ?
Stamford Bridge — White Art Lane
— Old Trafford.

07 Qui fut élu premier Ballon d'Or
de l'histoire en 1956 ?
Matthews — Kopa — Di Stefano.

08 Jean-Pierre Papin a-t-il déjà obtenu
le Ballon d'Or ?
Oui — non.

09 Combien de buts Pelé a-t-il inscrits
au cours de sa carrière ?
998 — 1 281 — 1 457.

10 Dans quel stade évolue le
Borussia Dortmund ?
Westfalenstadion — Weserstadion
— Bay Arena.

lundi 12 Saint Apollinaire

7

8

9

10

11

12

13

14

15

16

17

18

19

20

21

mardi 13 Saint Aimé

7

8

9

10

11

12

13

14

15

16

17

18

19

20

21

mercredi 14 Croix Glorieuse

....

1 ....

9 ....

10 ....

11 ....

12 ....

13 ....

14 ....

15 ....

16 ....

17 ....

18 ....

19 ....

20 ....

21 ....

TOTTI FRANCESCO

AS Roma – n° 10, né le 27/09/1976

Né à Rome et fidèle supporter de l'AS Roma, Francesco Totti ne pouvait pas, à 16 ans seulement, débuter sa carrière professionnelle sous une autre tunique que celle des « giallorossi ». Le club de la Louve laissera son jeune prodige s'aguerrir au fil des saisons, jusqu'à ce qu'il devienne un indiscutable titulaire en 1996 au poste de milieu offensif. Rapide, sachant se placer dans les intervalles, précieux passeur et frappeur précis, Totti a été surnommé le « Golden Boy » par les supporters, tant il s'attache à bonifier tous les ballons qui passent par lui. Véritable n° 10 derrière Montella et Batistuta, Totti va les abreuver en ballons, permettant ainsi à l'AS Roma de remporter en 2001 un Scudetto qui lui échappait depuis 1983. Repositionné en attaquant, Totti dépassera le total de 100 buts en carrière en Série A lors de la saison 2004/05.

1ᵉʳ tour aller

jeudi 15 Saint Roland

7

8

9

10

11

12

13

14

15

16

17

18

19

20

21

vendredi 16 Saint Edit

7

8

9

10

11

12

13

14

15

16

17

18

19

20

21

7ᵉ Journée

samedi 17 Saint Renaud

....

....

] ....

2 ....

3 ....

4 ....

5 ....

6 ....

7 ....

8 ....

9 ....

dimanche 18 Sainte Nadège

....

....

....

] ....

2 ....

3 ....

4 ....

5 ....

6 ....

7 ....

8 ....

9 ....

▶ **ANNIVERSAIRE CAMPBELL**

QUIZ ? septembre

11 À quel âge Pelé participe-t-il à sa première Coupe du Monde ? 17 ans — 18 ans — 19 ans.

12 Qu'ont Pelé et Beckenbauer en commun ? Ils ont joué dans le même club — ils ont remporté autant de Coupes du Monde — ils sont nés à la même date.

13 Dans quel stade évolue Liverpool ? Goodison Park — Twickenham — Anfield.

14 Qui a découvert Johan Cruyff ? Rinus Michels — Guus Hiddink — personne.

15 Quel était le numéro mythique de Johan Cruyff ? 5 — 12 — 14.

RÉPONSES :
11 : 17 ans / **12** : Ils ont joué dans le même club / **13** : Anfield / **14** : Rinus Michels / **15** : 14.

lundi 19 Sainte Émilie

7
8
9
10
11
12
13
14
15
16
17
18
19
20
21

mardi 20 Saint Davy

7
8
9
10
11
12
13
14
15
16
17
18
19
20
21

8ᵉ journée **1ᵉʳ tour**

mercredi21

Saint
Mathieu

SHEVCHENKO ANDREI

Milan AC – n°7, né le 29/09/1976

Après Blokhine en 1975 et Belanov en 1986, Shevchenko est, en 2004, le troisième joueur ukrainien à recevoir le Ballon d'Or.
Une récompense qui parachève l'œuvre footbalistique du « Ronaldo blanc », débutée en 1994 au Dynamo Kiev. Révélé aux yeux du grand public lorsqu'il marque son triplé au Camp Nou face à Barcelone en 1999, « Super Sheva » est courtisé par le Milan AC qu'il rejoint dès la saison suivante.
L'attaquant rossonero, désireux de s'imposer dans son nouveau club, s'imprègne de la culture transalpine et devient rapidement le chouchou du stade San Siro. Il permet à son club de remporter la Ligue des Champions en 2003 et le Scudetto en 2004. Attaquant complet, il allie une frappe de balle exceptionnelle à un sens du but hors du commun qui lui permet d'être dangereux à tout moment.

jeudi 22 AUTOMNE

7

8

9

10

11

12

13

14

15

16

17

18

19

20

21

vendredi 23 Saint Const

7

8

9

10

11

12

13

14

15

16

17

18

19

20

21

ANNIVERSAIRES
RONALDO
HENRI

----

dimanche 25 Saint Hermann

----

quiz? septembre

16 De quelle origine était Eusebio ?
Mozambicaine — congolaise
— espagnole.

17 Quel était le surnom d'Eusebio ?
La panthère noire — le lion
— le goleador.

18 Dans quel club Maradona débuta-t-il
sa carrière professionnelle ?
Argentinos Juniors — Boca Juniors
— Naples.

19 En quelle année l'équipe de
Manchester United fut-elle décimée
par un crash d'avion ?
1934 — 1958 — 1981.

20 Où est né Michel Platini ?
Jœuf — Nancy — Saint-Étienne.

Réponses :
16 : mozambicaine / **17** : la panthère noire
18 : Argentinos Juniors / **19** : 1958 / **20** : Jœuf.

2ᵉ journée

lundi 26  Saints
Côme, Damien

mardi 27 Saint Vincent
de Paul

	lundi 26	mardi 27
7		
8		
9		
10		
11		
12		
13		
14		
15		
16		
17		
18		
19		
20		
21		

▶ ANNIVERSAIRE
BALLACK

▶ ANNIVERSAIRES
TOTTI
DECO

mercredi 28

Saint
Venceslas

GULLIT RUUD

Pays-Bas, joueur de 1979 à 1998

À l'image de son compère Marco Van Basten, Ruud Gullit a marqué l'histoire du foot de la fin des années 80. À l'époque, son look rasta et son sourire charmeur le rendent très populaire. Milieu de terrain puissant et physique, il est le capitaine de l'équipe des Pays-Bas, sacrée championne d'Europe en 1988. Un an auparavant, il remporte le Ballon d'Or, avant d'échouer à la 2ᵉ place en 1988. Transféré du PSV Eindhoven au Milan AC en 1987, il y gagne 3 titres et deux Ligues des Champions. En 1995, il rejoint le club anglais de Chelsea, une formation dont il sera un temps entraîneur-joueur, avant de mettre un terme à sa carrière en 1998.

1er tour retour

jeudi 29 Saint Michel

vendredi 30 Saint Jérôm

7	7
8	8
9	9
10	10
11	11
12	12
13	13
14	14
15	15
16	16
17	17
18	18
19	19
20	20
21	21

ANNIVERSAIRE
SHEVCHENKO

10ᵉ Journée

samedi 1 Sainte Thérèse de l'E.-J.

....

....

....

....

....

....

....

....

....

....

dimanche 2 Saint Léger

....

....

....

....

....

....

....

....

....

....

....

....

**1/10
ANNIVERSAIRE
WEAH**

sept. - oct.
QUIZ ?

21 Quel était le surnom de Michel Platini ?
Michel l'Ange — Patator — Platoche.

22 En quelle année Platini rejoint-il la Juventus Turin ?
1979 — 1982 — 1985.

23 Quel est le seul Français à avoir remporté trois Ballons d'Or ?
Papin – Zidane – Platini.

24 Quel était le surnom de Gerd Müller ?
L'aviateur — le mitrailleur — le bombardier.

25 Qui est nommé Ballon d'Or africain 2004 ?
Eto'o — Drogba — Okocha.

RÉPONSES !
21 : Platoche / **22** : 1982 / **23** : Platini
24 : le bombardier / **25** : Eto'o.

La volée magique de zidane

Il n'y a que Zinedine Zidane pour réaliser de tels gestes ! Tenter et marquer une volée du pied gauche en finale de la Ligue des Champions est exceptionnel. Mais Zidane est et restera un joueur d'exception.

La volée magique

REAL MADRID – BAYER LEVERKUSEN, FINALE DE LA LIGUE DES CHAMPIONS, 15 MAI 2002 (HAMPDEN PARK, GLASGOW)

Certains hommes ont le sens de l'histoire. Et Zinedine Zidane est de ceux-là. « Zizou » l'avait déjà prouvé avec ses deux coups de tête en finale de la Coupe du Monde 1998 face au Brésil. Mais, au soir du 15 mai 2002, il entre définitivement dans le panthéon des magiciens du football. Le Real Madrid et le Bayer Leverkusen s'affrontent alors en finale de la Ligue des Champions. Après avoir échoué en finale de leur Coupe nationale, les deux formations ont abandonné leur couronne dans leur championnat respectif, briguant par défaut une victoire en Ligue des Champions qui sauverait une saison blanche. L'enjeu pèse sur Hampden Park, mais la rencontre se dénoue rapidement grâce à une belle volée de Raul, qui reprend une longue touche de Roberto Carlos (1-0, 8e). Hans-Jörg Butt, le portier de Leverkusen, ne peut

que constater les dégâts. Mais les Allemands ne démobilisent pas et, sur un coup franc, le Brésilien Lucio place une tête hors de portée de César et égalise (1-1, 14e). Les hommes de Toppmöller jouent crânement leurs chances face à l'armada de stars madrilènes. C'est alors que le maestro Zidane entre en scène. Alors que la pause approche à grands pas et que l'arbitre Urs Meier consulte son chronomètre, Roberto Carlos déboule une nouvelle fois sur son côté gauche.

LA FEUILLE DE MATCH
BUT DE ZIDANE EN FINALE DE LA LIGUE DES CHAMPIONS FACE À LEVERKUSEN EN 2002

REAL MADRID — Bayer Leverkusen 2-1 (2-1)
15 mai 2002, Glasgow Hampden Park (51 451 spectateurs)

Real Madrid :
César (68e Casillas) – Salgado, Hierro, Helguera, Roberto Carlos – Figo (61e McManaman), Makelele (73e Flavio Conceiçao), Zidane, Solari – Raul, Morientes.
Entraîneur :
Vicente Del Bosque.
Buts :
Raul, 8e ; Zidane, 45e.

Bayer Leverkusen :
Butt – Sebescen (65e Kirsten), Zivkovic, Lucio (90e Babic), Placente – Schneider, Ramelow, Bastürk, Ballack – Neuville, Brdaric (39e Berbatov).
Entraîneur :
Klaus Toppmöller.
But :
Lucio, 14e.

de zidane

e latéral brési-
en adresse
n centre aux
bords de la
urface. Seul à
5 mètres du
ut allemand,
nedine Zidane
me sa jambe
auche et s'équilibre parfaitement avec les bras.
la descente du ballon, il s'élance et frappe en se
ouchant sur le côté. Le cuir prend la direction
e la lucarne de Butt, qui ne peut rien faire devant
spontanéité et la puissance du tir. Le geste
arfait. Les 51 000 spectateurs d'Hampden Park
stent stupéfaits par la magie de la star française,
ui s'offre ainsi un premier succès en Ligue des
hampions après deux finales perdues avec la
ventus en 1997 et 1998.

Le Real Madrid devient l'équipe de stars telle que Florentino Perez l'a rêvée avec des « Zidane » et des « Pavon ». Luis Figo vient de recevoir le Ballon d'Or 2001.

Casillas a remplacé le gardien titulaire César au pied levé (68ᵉ minute). Malgré son jeune âge (20 ans), il réalise deux énormes parades qui vont permettre au Real de remporter son seul trophée de l'année après avoir échoué en finale de Coupe du Roi, et terminé deuxième de la Liga espagnole.

Ce succès du Real Madrid en Ligue des Champions est le 9ᵉ, alors que son capitaine Raul en a remporté trois (1998, 2000 et 2002).

lundi 3 Saint Gérard

7

8

9

10

11

12

13

14

15

16

17

18

19

20

21

mardi 4 Saint François d'Assise

7

8

9

10

11

12

13

14

15

16

17

18

19

20

21

▶ ANNIVERSAIRE
ROSICKY

mercredi 5 Sainte Fleur

ROSICKY TOMAS

Borussia Dortmund, n° 10, né le 4/10/1980

Alors que le poste de n° 10, véritable meneur de jeu, ne semble plus correspondre au football moderne, Tomas Rosicky et sa formidable technique rappellent aux tacticiens les vertus d'une telle fonction. Il faut dire que le « Mozart du football » possède une vision du jeu incomparable et une habileté à distiller la meilleure passe au meilleure moment, bonifiant inlassablement le jeu du Borussia. Fils de Jiri, un ancien international tchèque, Tomas suit les traces de son père et rafle deux titres de champion avec le Sparta Prague. Il est transféré en janvier 2001 à Dortmund, où son impact est immédiat puisqu'il s'empare du titre de champion d'Allemagne la même année. Une réussite liée à sa parfaite entente avec Jan Koller, son compatriote géant (2,02 m). Encore jeune et friable, « Rossy » est considéré comme l'une des futures grandes stars.

jeudi 6 Saint Bruno

7

8

9

10

11

12

13

14

15

16

17

18

19

20

21

vendredi 7 Saint Serge

7

8

9

10

11

12

13

14

15

16

17

18

19

20

21

Suisse-France (éliminatoires CdM)

samedi 8 Sainte Pélagie

....
....
....
....
....
....
....
....
....
....
....

dimanche 9 Saint Denis

....
....
....
....
....
....
....
....
....
....

26 De quelle origine est Deco ?
Portugaise — brésilienne — argentine.

27 Dans quel club Ronaldinho a-t-il été formé ?
Sao Paulo — Gremio Porto Alegre — Boca Juniors.

28 Roy Makaay est-il ?
Anglais — allemand — néerlandais.

29 Pour remplacer quel attaquant Roy Makaay est-il arrivé au Bayern Munich ?
Pizarro — Jancker — Elber.

30 En quelle année est né John Terry ?
1980 — 1977 — 1975.

lundi 10 Saint Ghislain

7 ....
....
8 ....
....
9 ....
....
10 ....
....
11 ....
....
12 ....
....
13 ....
....
14 ....
....
15 ....
....
16 ....
....
17 ....
....
18 ....
....
19 ....
....
20 ....
....
21 ....
....

mardi 11 Saint Firmin

7 ....
....
8 ....
....
9 ....
....
10 ....
....
11 ....
....
12 ....
....
13 ....
....
14 ....
....
15 ....
....
16 ....
....
17 ....
....
18 ....
....
19 ....
....
20 ....
....
21 ....
....

 ANNIVERSAIRE CHARLTON

France-Chypre (éliminatoires CdM)

mercredi12
Saint Wilfried

DEL PIERO ALESSANDRO

Juventus Turin – n° 10, né le 9/11/1974

Lorsqu'ils décident de se séparer de Roberto Baggio en 1995, les dirigeants de la Juventus savent que le jeune Alessandro Del Piero le remplacera dans les cœurs « bianconeri ». « Pinturicchio » prend alors son envol après deux saisons d'apprentissage et mène la Vieille Dame sur le toit de l'Europe avec une Ligue des Champions, une Coupe Intercontinentale et une Super Coupe d'Europe. Petit (1,73 mètre) et fluet (73 kg), Del Piero n'a rien d'impressionnant, mais dans son rôle de 9 et demi, sa technique balle au pied fait merveille. Adepte de chevauchées fantastiques, il excelle également dans le rôle de tireur de coup franc, exercice dans lequel il formait avec Zidane le meilleur duo du monde. Malheureusement, miné par les blessures, l'exceptionnel talent de Del Piero ne s'exerce plus qu'avec parcimonie.

jeudi 13 Saint Géraud

7 ....
....
8 ....
....
9 ....
....
10 ....
....
11 ....
....
12 ....
....
13 ....
....
14 ....
....
15 ....
....
16 ....
....
17 ....
....
18 ....
....
19 ....
....
20 ....
....
21 ....
....

vendredi 14 Sair Just

7 ....
....
8 ....
....
9 ....
....
10 ....
....
11 ....
....
12 ....
....
13 ....
....
14 ....
....
15 ....
....
16 ....
....
17 ....
....
18 ....
....
19 ....
....
20 ....
....
21 ....
....

11ᵉ journée

samedi 15 Sainte Thérèse d'Avila

dimanche 16 Sainte Edwige

octobre

QUIZ?

31 Dans quel club a été formé Adriano ?
Flamengo — Fluminense — Sao Paulo.

32 Quel est le surnom d'Adriano ?
Le panzer — le tank — le char.

33 Dans quel stade évolue l'AS Roma ?
le Stade Olympique —
Giuseppe Meazza — Romano Prodi.

34 Quelle est la particularité
d'Edgar Davids ?
Il porte des boucles d'oreilles —
il porte des lunettes— il porte toujours
son caleçon fétiche.

35 Quelle star Del Piero a-t-il remplacée
dans le cœur des supporters de
la Juventus ?
Baggio — Totti — Massaro

RÉPONSES :
31 : Flamengo / **32 :** le tank
33 : Le Stade Olympique
34 : Il porte des lunettes / **35 :** Baggio.

lundi  17 Saint
Baudouin

3ᵉ journée

mardi 18 Saint
Luc

7	**7**
8	**8**
9	**9**
10	**10**
11	**11**
12	**12**
13	**13**
14	**14**
15	**15**
16	**16**
17	**17**
18	**18**
19	**19**
20	**20**
21	**21**

mercredi 19 Saint René

SCHOLES PAUL

Manchester United – n° 18, né le 16/11/1974

Pur produit de la formation de Manchester United, Paul Scholes doit son explosion à... Éric Cantona. Alors modèle du jeune Anglais, le « King » essuyait une suspension de huit mois en 1995, laissant le champ libre à un Scholes avide de temps de jeu. Discret en dehors de terrain, « Scholesy » brille sur les pelouses par sa technique au service d'une intelligence de jeu rare. Mais son tempérament de feu lui joue parfois des tours. Il manque notamment la fameuse finale de Champions League 1999 remportée dans les arrêts de jeu par MU devant le Bayern Munich (2-1) pour un tacle avec les deux pieds décollés, au tour précédent, face à la Juventus. Depuis, il parvient à se canaliser et à convertir sa formidable énergie en actions positives. Aujourd'hui, Scholes est le rouage essentiel du dispositif d'Alex Ferguson à Manchester United et de celui de Sven-Goran Eriksson en équipe nationale.

jeudi 20 Sainte Adeline

7	
8	
9	
10	
11	
12	
13	
14	
15	
16	
17	
18	
19	
20	
21	

vendredi 21 Sair Cél

7	
8	
9	
10	
11	
12	
13	
14	
15	
16	
17	
18	
19	
20	
21	

12ᵉ journée

samedi 22
Sainte Élodie

....
....
....
....
....
....
....
....
....

dimanche 23
Saint Jean de C.

....
....
....
....
....
....
....
....
....
....

▶ **ANNIVERSAIRE PELÉ**

octobre QUIZ?

36 En quelle année Del Piero est-il né ?
1970 — 1974 — 1979.

37 Dans quel club jouait Gianluigi Buffon avant la Juventus Turin ?
Bologne — Brescia — Parme.

38 Quel est le surnom des joueurs du Milan AC ?
Les Bianconeri — les Rossoneri — les Spaghetti.

39 Comment appelle-t-on les joueurs du FC Porto ?
Les Aigles — les Dragons — les Loups.

40 Quel est le nom du stade partagé par l'Inter Milan et le Milan AC ?
San Siro — Aztec — Bombonera.

RÉPONSES :
36 : 1974 / **37** : Parme / **38** : les Rossoneri
39 : les Dragons / **40** : San Siro.

lundi 24  Saint
Florentin

1/8e de finale

mardi 25 Sainte
Daria

	lundi 24	mardi 25
7		
8		
9		
10		
11		
12		
13		
14		
15		
16		
17		
18		
19		
20		
21		

mercredi26 Saint Dimitri

BECKENBAUER FRANZ

Allemagne - Joueur de 1954 à 1983

Patron de la défense du Bayern Munich dès l'âge de 19 ans, Franz Beckenbauer a révolutionné son poste. Rigoureux lors des phases défensives, le « Kaiser » donne une dimension offensive au libero en orchestrant des montées et en soignant les relances grâce à une technique sans faille. Double Ballon d'Or en 1972 et 1976, Beckenbauer remporte une première Coupe du Monde en tant que joueur en 1974. En 1990, ses capacités de tacticien lui permettent de mener l'Allemagne au titre mondial ; il est alors un sélectionneur reconnu et le seul homme à avoir soulevé la Coupe Jules Rimet en tant que joueur et entraîneur. Coach de l'Olympique Marseille en 1990/91, Beckenbauer retourne ensuite dans le club de son cœur, le Bayern Munich, où il officie encore aujourd'hui au comité de direction.

jeudi 27

7 ....
....
8 ....
....
9 ....
....
10 ....
....
11 ....
....
12 ....
....
13 ....
....
14 ....
....
15 ....
....
16 ....
....
17 ....
....
18 ....
....
19 ....
....
20 ....
....
21 ....
....

vendredi 28

7 ....
....
8 ....
....
9 ....
....
10 ....
....
11 ....
....
12 ....
....
13 ....
....
14 ....
....
15 ....
....
16 ....
....
17 ....
....
18 ....
....
19 ....
....
20 ....
....
21 ....
....

13ᵉ journée

samedi 29 Saint Narcisse

....
....
0 ....
1 ....
2 ....
3 ....
4 ....
5 ....
6 ....
7 ....
8 ....
9 ....

dimanche 30 Sainte Bienvenue

....
....
0 ....
1 ....
2 ....
3 ....
4 ....
5 ....
6 ....
7 ....
8 ....
9 ....

▶ **ANNIVERSAIRES**
MARADONA
VAN BASTEN

octobre
QUIZ?

41 Quel club a révélé Gerd Müller ?
Borussia Dortmund — Bayern Munich
— Werder Brême.

42 Comment surnomme-t-on les
joueurs de Manchester United ?
Les Angels — les Red Devils
— les Skyliners.

43 Comment s'appelle le milliardaire
repreneur du club de Chelsea ?
Abramovich — Obradovic
— Savicevic

44 Combien mesure Gianluigi Buffon ?
1,85 m — 1,90 m — 1,94 m.

45 Dans quel club van Nistelrooy a-t-il
été découvert ?
Ajax Amsterdam — Den Bosch
— Feyenoord.

RÉPONSES!
41 : Bayern Munich / **42** : les Red Devils
43 : Abramovich / **44** : 1,90 m
45 : Den Bosch.

Les grands m

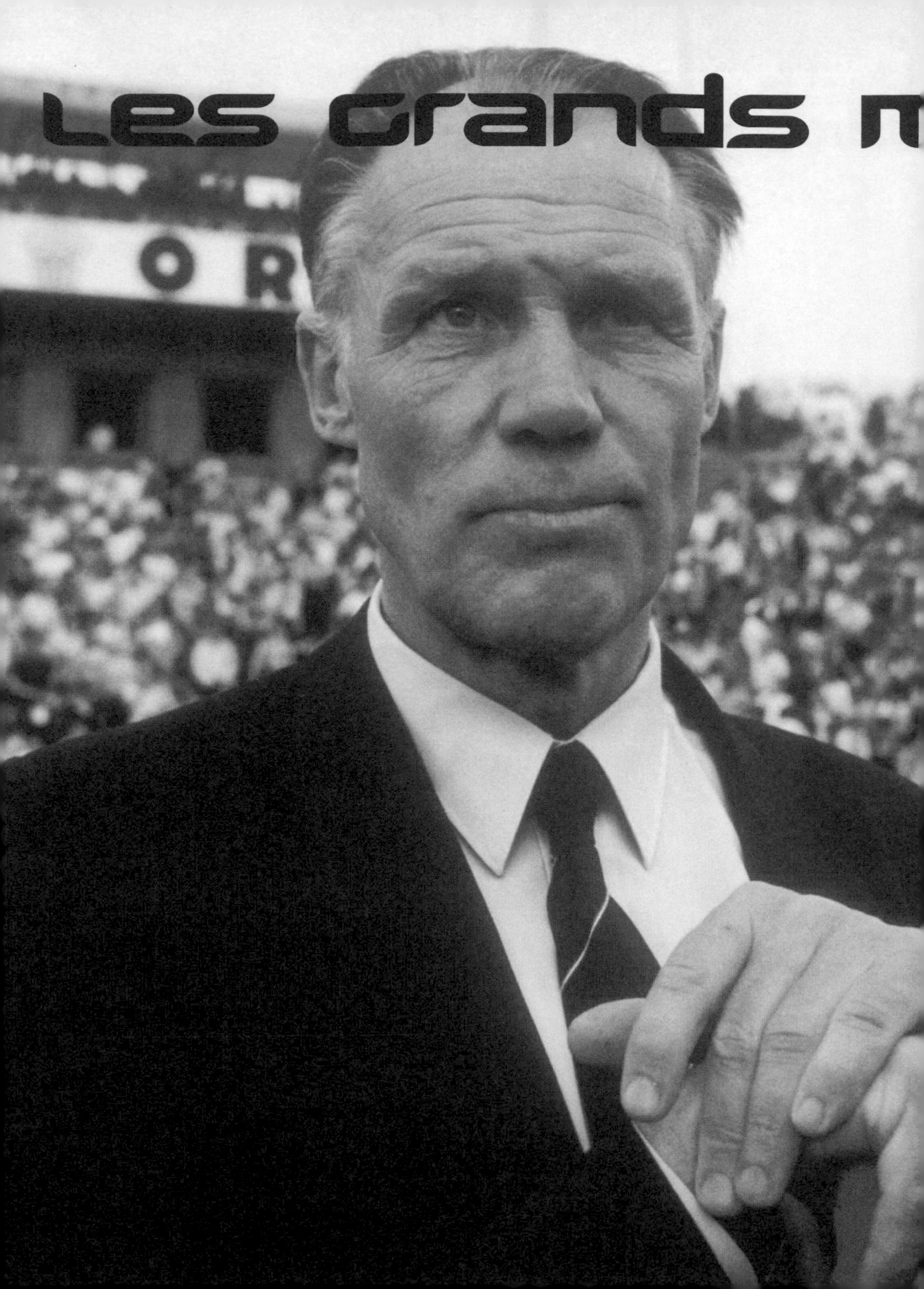

L'Ajax,
l'épopée dorée

À la fin des anées 1960, l'Ajax Amsterdam
n'a pas conscience qu'il est en train de
révolutionner la façon de jouer au football.
Une tactique (le football total), un philosophe
(Rinus Michels) et un stratège (Johan Cruyff)
vont redessiner les contours du jeu et
le rendre attrayant.

L'Ajax, l'épopée

LA FEUILLE DE MATCH
ÉPOPÉE AJAX EN 1971 : FOOTBALL TOTAL
AJAX AMSTERDAM

Joueurs marquants de l'épopée :
Gardien : Stuy.
Défenseurs : Neeskens, Vasovic, Hulshoff, Suurbier, Blankenburg, Krol.
Milieux : Rijnders, Swart, Haan, G. Mühren.
Attaquants : van Dijk, Cruyff, Keizer, Rep.
Entraîneurs : Marinus Michels et Stefan Kovacs.

1966 — 1973

Lorsque Rinus Michels prend l'Ajax Amsterdam en main, le club est au plus bas. Il vient tout juste de remonter en première division batave et n'aspire pas à l'ambition. Pourtant, patiemment, le « sorcier » néerlandais va construire son équipe et réussir l'une des alchimies footbalistiques les plus abouties. La pierre angulaire de l'équipe amsterdamoise ? Johan Cruyff : un jeune homme au physique désuet, mais possédant une technique et un sens du placement extraordinaires. Progressivement, les bases d'un nouveau football sont jetées. Le 4-4-2 habituel n'existe plus, pour laisser une liberté totale aux joueurs, au sein d'un schéma tactique paradoxalement rigide. Michels exige de ses joueurs une participation défensive rigoureuse et collective. Cette organisation ne repose que sur l'expression collective orchestrée sur le terrain par Cruyff, seul véritable électron. Ce système de jeu particulièrement ambitieux s'est révélé lors du second tour de Coupe des Clubs champions le décembre 1966, alors que le brouillard aurait d contraindre l'arbitre à l'annulation. Cette rencont mythique face à Liverpool s'est soldée par un su cès sans appel (5-1), ponctuant quatre-vingt d minutes de football chatoyant. Incapable de repr duire un tel niveau de jeu, l'Ajax se noie alors dans des frustrations et balbutie de nouveau son football. Michels sait désormais qu'il va falloir être patient et, pour gommer ces performances en dents de scie, convertir complètement ses joueurs à son système, que ce soit mentalement, physiquement et tactiquement. Les partenaires de Cruyff mettront ainsi trois saisons à adhérer

dorée

...arfaitement au
...ouveau système
...e Michels. Trois
...isons à monter
... puissance et à
...ngranger de l'ex-
...érience. En 1969,
...Ajax arrête son
...arcours en finale
...e la Coupe des
...ubs champions
...ce au Milan AC.
...n 1971, 1972 et
...73, Amsterdam
...teint son apo-
...ée footbalistique

...remporte trois Coupes des Clubs champions consé-
...tives. Mais le mythe prend fin lorsque, face aux
...ènes de l'argent, Johan Cruyff suit son mentor,
...ichels, à Barcelone. L'épopée s'achève, mais naît
...ors une tradition de formation de talent puis
...exode qui perdure aujourd'hui.

infos

Le mythique entraîneur de l'Ajax et concepteur du « football total » s'appelle en réalité Marinus Michels et non pas Rinus, qui n'est que son diminutif.

En 1973, Johan Cruyff quitte l'Ajax Amsterdam et rejoint son mentor « Rinus » Michels au FC Barcelone. Il y passera 5 saisons en tant que joueur, puis reviendra y entraîner de 1988 à 1996. Il est aujourd'hui conseiller spécial du président catalan Laporta.

Fort de ses certitudes, Johan Cruyff avait une réputation d'arrogant, qu'il doit à ce type de déclarations : « Je ne pense pas qu'un jour, les gens ne sauront pas de qui il est question lorsqu'il entendront le nom de Cruyff », ou : « Avant de faire une erreur, je ne la commets pas. »

lundi 31  Saint
Quentin

7

8

9

10

11

12

13

14

15

16

17

18

19

20

21

 4ᵉ journée

mardi 1 TOUSSAINT

7

8

9

10

11

12

13

14

15

16

17

18

19

20

21

mercredi2 DÉFUNTS

TERRY JOHN

Chelsea FC – n° 26, né le 7/12/1980

Capitaine de Chelsea, John Terry est l'archétype du défenseur anglais moderne. Gouailleur, solide et doté d'un jeu de tête impressionnant, ce pur produit de la formation du club appartenant au milliardaire russe Roman Abramovich a fait ses gammes en équipe première aux côtés de son mentor, Marcel Desailly. Un apprentissage long et rugueux qui porte aujourd'hui ses fruits sur les pelouses internationales. Régulateur de la défense, il est également la première rampe de lancement vers l'attaque, n'hésitant pas à se porter vers l'avant et à marquer des buts ! Si, chaque année, de nouvelles stars arrivent au club, John Terry remplit inlassablement sa mission de capitaine : fédérer et insuffler un esprit de corps et de solidarité. Une mission dont il s'acquitte avec brio, permettant aujourd'hui à Chelsea d'atteindre les sommets du football pour enfin décrocher un premier titre.

2ᵉ journée

jeudi 3 Saint Hubert

7	
8	
9	
10	
11	
12	
13	
14	
15	
16	
17	
18	
19	
20	
21	

▶ ANNIVERSAIRE
MÜLLER

vendredi 4 Saint Charles

7	
8	
9	
10	
11	
12	
13	
14	
15	
16	
17	
18	
19	
20	
21	

▶ ANNIVERSAIRE
FIGO

14ᵉ journée

samedi 5
Sainte
Sylvie

....
....
....
....
....
....
....
....
....
....
....
....

dimanche 6
Sainte
Bertille

....
....
....
....
....
....
....
....
....
....
....
....
....
....

novembre
QUiZ?

46 Dans quel stade évolue
le Real Madrid ?
Santiago Bernabeu — Das Antas
— La Luz.

47 Qui était le mentor de John Terry ?
Sol Campbell — Marcel Desailly
—Tony Adams.

48 Dans quel stade évolue Boca Juniors ?
Estadio Lanus — Bombonera
— Vespucio Liberti.

49 Quel numéro porte Paul Scholes
à Manchester United ?
9 — 14 — 18.

50 Comment était surnommé
Éric Cantona ?
Le Prince — le King — la Queen.

RÉPONSES:
46 : Santiago Bernabeu / **47 :** Marcel Desailly
48 : Bombonera / **49 :** 18 / **50 :** le King.

lundi 7  Sainte Carine

7 ....
....
8 ....
....
9 ....
....
10 ....
....
11 ....
....
12 ....
....
13 ....
....
14 ....
....
15 ....
....
16 ....
....
17 ....
....
18 ....
....
19 ....
....
20 ....
....
21 ....
....

mardi 8 Saint Geoffroy

7 ....
....
8 ....
....
9 ....
....
10 ....
....
11 ....
....
12 ....
....
13 ....
....
14 ....
....
15 ....
....
16 ....
....
17 ....
....
18 ....
....
19 ....
....
20 ....
....
21 ....
....

mercredi 9

Saint
Théodore

BUFFON GIANLUIGI

Juventus Turin — n° 1 , né le 28/01/1978

Le meilleur gardien du monde.
Indéboulonnable portier de la Juventus Turin
et de la Squadra Azzurra, Gianluigi Buffon
est arrivé chez les Bianconeri contre une
indemnité de transfert record (52 millions
d'euros). Après sept saisons à garder les buts
parmesans, Buffon impose sa patte à la
défense de la Vieille Dame qui devient la
meilleure d'Italie lors des saisons 2001/02 et
2002/03. Grand (1,90 mètre), puissant et
doté d'excellents réflexes sur sa ligne comme
dans les airs, il ne possède pas de véritables
défauts. Côtoyant Lilian Thuram depuis 1996,
Buffon a appris à commander son arrière-
garde et à garantir sa stabilité. Vainqueur
de la Coupe UEFA en 1999 aux dépens de
Marseille et de deux championnats d'Italie,
Buffon aspire à écrire des lignes plus
prestigieuses à son palmarès, en accord
avec son incomparable talent.

▶ **ANNIVERSAIRE
DEL PIERO**

jeudi 10 Saint Léon

7	
8	
9	
10	
11	
12	
13	
14	
15	
16	
17	
18	
19	
20	
21	

vendredi 11 ARMIST 1918

7	
8	
9	
10	
11	
12	
13	
14	
15	
16	
17	
18	
19	
20	
21	

Match équipe de France

samedi 12 Saint
Christian

dimanche 13 Saint
Brice

51 Comment est surnommé
Shevchenko ?
Super Sheva — Super Koko
— Ukrainian Power.

52 Dans quel club Alessandro Nesta
débute-t-il sa carrière professionnelle ?
AS Roma — Lazio Rome — FC Valence.

53 Grâce à quoi Ronaldo défraya-t-il
la chronique lors de la Coupe
du Monde 2002 ?
Sa coupe de cheveux — son poids
— la couleur de ses chaussures.

54 Quel est le surnom de Ronaldo ?
Le phénomène — le divin
— l'extraterrestre.

55 Quelle vitesse est régulièrement
atteinte par Roberto Carlos lors de
ses frappes sur coup franc ?
90 km/h — 110 km/h — 130 km/h.

RÉPONSES:
51 : Super Sheva / **52** : Lazio Rome
53 : Sa coupe de cheveux / **54** : Le phénomène
55 : 130 km/h.

lundi 14 Saint Sidoine

7 ....
....
8 ....
....
9 ....
....
10 ....
....
11 ....
....
12 ....
....
13 ....
....
14 ....
....
15 ....
....
16 ....
....
17 ....
....
18 ....
....
19 ....
....
20 ....
....
21 ....
....

mardi 15 Saint Albert

7 ....
....
8 ....
....
9 ....
....
10 ....
....
11 ....
....
12 ....
....
13 ....
....
14 ....
....
15 ....
....
16 ....
....
17 ....
....
18 ....
....
19 ....
....
20 ....
....
21 ....
....

Match équipe de France

mercredi 16

Sainte
Marguerite

ADRIANO

Inter Milan – n° 10, né le 17/02/1982

En 2001, il a tout juste 19 ans lorsque les dirigeants de l'Inter Milan vont le chercher à Flamengo. Pour lui permettre de s'aguerrir, le club lombard le confie à la Fiorentina, puis à Parme qui possède la moitié de ses droits. Mais Adriano ne perd pas de temps et mûrit vite dans la structure romagnole où il impressionne et marque 24 buts en 37 matches de Série A. L'Inter lui fait alors les yeux doux et rachète la moitié des parts parmesanes au mercato 2003. Depuis, l'idylle est en marche. Celui que les supporters surnomment « le Tank », en raison de la puissance et de la précision de ses frappes, est devenu incontournable à l'Inter comme en Seleçao, où Carlos Alberto Parreira l'appelle à chaque rassemblement. Il se retrouve ainsi en parfait complément de Ronaldo, Ronaldinho et Kaka !

▶ **ANNIVERSAIRE**
Scholes

jeudi 17

Sainte
Élisabeth

7 ....
....
8 ....
....
9 ....
....
10 ....
....
11 ....
....
12 ....
....
13 ....
....
14 ....
....
15 ....
....
16 ....
....
17 ....
....
18 ....
....
19 ....
....
20 ....
....
21 ....
....

vendredi 18

Sai
Au

7 ....
....
8 ....
....
9 ....
....
10 ....
....
11 ....
....
12 ....
....
13 ....
....
14 ....
....
15 ....
....
16 ....
....
17 ....
....
18 ....
....
19 ....
....
20 ....
....
21 ....
....

15ᵉ journée **2ᵉ tour**

samedi 19
Saint
Tanguy

....
....
....
....
....
....
....
....
....
....
....

dimanche 20
Saint
Edmond

....
....
....
....
....
....
....
....
....
....
....
....
....

novembre QUIZ?

56
Comment surnomme-t-on
les joueurs de l'AS Roma ?
Les Giallorossi — les Nerazzuri
— les Tortellini.

57
Quel est le symbole de l'AS Roma ?
Une louve — un doberman
— un serpent.

58
Comment surnomme-t-on
les joueurs de Newcastle ?
Les Eagles — les Snakes
— les Magpies.

59
Comment surnomme-t-on
Tomas Rosicky ?
Mozart — Beethoven — Picasso.

60
De quelle nationalité est
Jay-Jay Okocha ?
Nigérienne — camerounaise
— nigériane.

lundi 21
Saint
Christ Roi

 5ᵉ Journée

mardi 22
Sainte
Cécile

	lundi 21	mardi 22
7		
8		
9		
10		
11		
12		
13		
14		
15		
16		
17		
18		
19		
20		
21		

MAKAAY ROY
Bayern Munich – n° 10, né le 09/03/75

Makaay est une machine à marquer.
En 2003, le Bayern Munich casse sa tirelire et le débauche de La Corogne pour 17 millions d'euros, alors qu'il sort d'une saison particulièrement faste, auréolée du titre de Soulier d'Or récompensant le meilleur buteur européen (29 buts en 38 matches de Liga). Le club de Beckenbauer ne pensait pourtant pas que l'attaquant batave allait faire oublier si rapidement le départ de Giovane Elber pour l'Olympique Lyonnais. Dès sa première saison sous les couleurs bavaroises, Makaay fait parler la poudre, mais ne permet pas à Munich de décrocher le titre de champion d'Allemagne, qui échoue dans l'escarcelle du Werder Brême. Un camouflet qui ne l'empêche pas d'être toujours aussi prolifique et de tenir l'attaque de son club à bout de bras.

3ᵉ journée

jeudi 24 Sainte Flora

vendredi 25 Sainte C Labouré

7	7
8	8
9	9
10	10
11	11
12	12
13	13
14	14
15	15
16	16
17	17
18	18
19	19
20	20
21	21

samedi 26
Sainte
Delphine

....
....
1 ....
2 ....
3 ....
4 ....
5 ....
6 ....
7 ....
8 ....
9 ....

dimanche 27
AVENT

....
....
1 ....
2 ....
3 ....
4 ....
5 ....
6 ....
7 ....
8 ....
9 ....

novembre quiz?

61 En provenance de quel club
Okocha est-il arrivé au PSG ?
Galatasaray — Besiktas
— Fenerbahçe.

62 Quelle phobie handicape
Dennis Bergkamp ?
Il déteste les avions — il est allergique
au gazon artificiel — il est agoraphobe.

63 De quel joueur anglais Dennis
Bergkamp est-il fan ?
Mark Hateley — Glenn Hoddle
— Gary Lineker.

64 De quel joueur Zinedine Zidane
est-il fan ?
Diego Maradona — Johan Cruyff
— Enzo Francescoli.

65 Quelle est la devise d'Oliver Kahn ?
Ne jamais abandonner — toujours
contester — faire peur aux arbitres.

RÉPONSES:
61 : Fenerbahçe / **62** : Il déteste les avions
63 : Glenn Hoddle / **64** : Enzo Francescoli
65 : Ne jamais abandonner.

lundi 28 Saint Jacques de la M.

7 ....
....
8 ....
....
9 ....
....
10 ....
....
11 ....
....
12 ....
....
13 ....
....
14 ....
....
15 ....
....
16 ....
....
17 ....
....
18 ....
....
19 ....
....
20 ....
....
21 ....
....

mardi 29 Saint Saturnin

7 ....
....
8 ....
....
9 ....
....
10 ....
....
11 ....
....
12 ....
....
13 ....
....
14 ....
....
15 ....
....
16 ....
....
17 ....
....
18 ....
....
19 ....
....
20 ....
....
21 ....
....

mercredi 30

Saint André

CHARLTON BOBBY

Angleterre - Joueur de 1953 à 1974

Bobby Charlton aura tout connu : la gloire et l'horreur. Rescapé de la catastrophe aérienne qui décime l'équipe de Manchester United le 6 février 1958, Charlton mettra cinq saisons avant de surmonter le choc de la tragédie et de retrouver les joies d'un titre en Cup (1963). Dès lors, les « Red Devils » emmenés par « Sir Bobby », chevalier de l'Empire britannique, s'adjugent deux trophées de champions nationaux (1965 et 1967) et une Coupe d'Angleterre (1968). 1966 sera son année de gloire : il est élu Ballon d'Or, décroche la Coupe du Monde avec l'équipe nationale et, consécration suprême, reçoit le trophée Jules Rimet des mains de la reine Élisabeth II. Auteur de 245 buts en 751 matches de Premier League, Sir Bobby était apprécié pour son efficacité autant que pour son comportement de gentleman sur et en dehors des terrains.

5ᵉ journée

jeudi 1 _{Sainte Florence}

7

8

9

10

11

12

13

14

15

16

17

18

19

20

21

vendredi 2 _{Sainte Viviane}

7

8

9

10

11

12

13

14

15

16

17

18

19

20

21

17ᵉ journée

samedi 3 Saint Xavier

....
....
....
....
....
....
....
....
....
....
....
....
....
....
....

dimanche 4 Sainte Barbara

....
....
....
....
....
....
....
....
....
....
....

décembre QUIZ ?

66 Quel est le surnom d'Edgar Davids ?
Le Rotweiller — le Pitbull
— le Caniche.

67 Dans quelle ville le stade du
Heysel avait-il été construit ?
Amsterdam — Bruxelles — Bruges.

68 En quelle année fut créé
le Milan AC ?
1899 — 1921 — 1943.

69 De quelle nationalité est
Rabah Madjer ?
Algérienne — tunisienne
— marocaine.

70 Combien de places possède le
Camp Nou de Barcelone ?
65 000 — 98 000 — 115 000.

RÉPONSES :
66 : Pitbull / **67 :** Bruxelles / **68 :** 1899
69 : Algérienne / **70 :** 98 000.

La catastrophe du Heysel

Vingt ans après le drame, la douleur
assaille toujours les supporters de la Juventus
et de Liverpool. 39 morts à cause de la dérive
fanatique des supporters : plus jamais ça !
Le football est spectacle, le football est
émotion. Il doit le rester.

La catastrophe

29 MAI 1985 À BRUXELLES

Ce devait être une nuit de fête, ce fut un spectacle d'horreur. Les hurlements supplantèrent les chants et les bains de foule se transformèrent en bain de sang. 29 mai 1985, 19 heures, le coup d'envoi de la finale de la Coupe des Clubs champions opposant Liverpool à la Juventus Turin approche. Après avoir passé la journée à errer dans Bruxelles et à écumer les pubs, les supporters anglais et italiens, virulents et haineux, se retrouvent, dans les virages du stade du Heysel. Un cordon de sécurité sépare les deux hordes de fanatiques « Reds » et « Bianconeri », mais cela n'empêche ni les insultes de fuser, ni les objets de voler. La pression monte dans ce chaudron de 60 000 spectateurs. Échaudés, les supporters de Liverpool décident de passer à l'offensive. Ils enjambent le grillage séparant les tribunes, se jouent d'un service de sécurité squelettique et se lancent à la poursuite de Turinois. Apeurés, les Italiens fuient et se réfugient

contre le mur de la section « Z ». Vieille d'un der siècle, l'enceinte cède sous la pression et s'écrou Sous les décombres, une vision apocalyptiqu 39 corps gisent inertes et plus de 400 spectateu belges et transalpins sont blessés. Les instances o cielles du football n'ont pas conscience de l'ample du drame et, en dépit des réticences des deux clu demandent à l'arbitre suisse André Daina de siff

le coup d'envoi avec 1 h 30 de retard. La victoire de la Juventus Turin sur un penalty de Michel Platini (provoqué par une faute de Gillespie sur Boniek) reste anecdotique. L'une des pages les plus tragiques du sport venait de s'écrire

Heysel

sous les yeux de plus d'un milliard de téléspectateurs ! Cette nuit entraînera logiquement le bannissement des clubs anglais de la coupe d'Europe durant cinq saisons, et celle de Liverpool pour sept. Abandonné comme un sépulcre, le stade du Heysel ne subira de profondes modifications qu'en 1994. Sa capacité sera menée à 40 000 places et il sera rebaptisé stade Roi Baudouin. Seule la porte d'entrée principale moment du drame sera conservée, comme une le en l'honneur des victimes.

Vingt ans après le drame, en 2005, les deux équipes se sont rencontrées en quarts de finale de la Ligue des Champions. Aucun incident n'a été déploré. En dépit des rancœurs manifestées par quelques quolibets et injures, la majorité des supporters italiens et anglais qui se sont déplacés pour ces deux rencontres l'a fait sans heurts. L'objectif était de se recueillir et d'honorer la mémoire des 39 victimes du Heysel.

Après la rencontre qui s'est tout de même déroulée, le trophée de la Coupe des Clubs Champions a été remis à Michel Platini, le capitaine de la Juventus Turin, dans les vestiaires.

Très marqué par le drame, Michel Platini refusera de remettre les pieds dans le stade du Heysel et fera de la sécurité dans les stades et des problèmes des hooligans son cheval de bataille au sein de l'UEFA.

lundi 5 Saint Gérald

7 ....
....
8 ....
....
9 ....
....
10 ....
....
11 ....
....
12 ....
....
13 ....
....
14 ....
....
15 ....
....
16 ....
....
17 ....
....
18 ....
....
19 ....
....
20 ....
....
21 ....
....

6ᵉ journée

mardi 6 Saint Nicolas

7 ....
....
8 ....
....
9 ....
....
10 ....
....
11 ....
....
12 ....
....
13 ....
....
14 ....
....
15 ....
....
16 ....
....
17 ....
....
18 ....
....
19 ....
....
20 ....
....
21 ....
....

ETO'O SAMUEL
FC Barcelone — n° 9, né le 10/03/81

Ballon d'Or africain de l'année 2004, Samuel Eto'o possède le profil type de l'attaquant moderne, vif, élégant et précis. Dès l'âge de 16 ans, le Camerounais avait intégré le centre de formation du Real Madrid avant d'être prêté à Leganes (D 2). Après un court passage chez les Merengues, il part pour le Real Majorque où il éclate avec 54 buts en 132 matches. Dès lors, le Real et le Barça, qui possèdent conjointement ses droits, se livrent une farouche bataille pour l'obtenir. En 2004, le « Lion Indomptable » choisit les « Blaugranas ». Bien servi par les passes géniales de Ronaldinho, Deco et Xavi, Eto'o remporte son premier titre de meilleur buteur de Liga. Un titre qu'il ajoute à ses trophées de champion olympique en 2000 à Sydney et de vainqueur de la CAN en 2002 avec son équipe nationale.

▶ *ANNIVERSAIRE*
TERRY

jeudi 8 Immaculée Conception

7 ....
....
8 ....
....
9 ....
....
10 ....
....
11 ....
....
12 ....
....
13 ....
....
14 ....
....
15 ....
....
16 ....
....
17 ....
....
18 ....
....
19 ....
....
20 ....
....
21 ....
....

vendredi 9 Saint Fourie

7 ....
....
8 ....
....
9 ....
....
10 ....
....
11 ....
....
12 ....
....
13 ....
....
14 ....
....
15 ....
....
16 ....
....
17 ....
....
18 ....
....
19 ....
....
20 ....
....
21 ....
....

18ᵉ journée   **3ᵉ tour**

samedi10
Saint
Romaric

dimanche11
Saint
Daniel

71 Combien mesure Jan Koller, l'attaquant tchèque du Borussia Dortmund ?
1,98 m — 2,02 m — 2,08 m.

72 En quelle année est née la Coupe d'Europe des Clubs Champions ?
1946 — 1955 — 1960.

73 Combien d'Ukrainiens ont-ils obtenu le Ballon d'Or ?
5 — 4 — 3.

74 Qui est l'inventeur du « catenaccio » ?
Helenio Herrera — Arthur Jorge — Arrigo Sacchi.

75 Comment surnomme-t-on les joueurs de Liverpool ?
Les Reds — les Warriors — les Flyers

RÉPONSES :
71 : 2,02 m / **72** : 1955 / **73** : 3
74 : Helenio Herrera / **75** : Les Reds.

lundi 12 Sainte J.-F. de Chantal

7 ....
....
8 ....
....
9 ....
....
10 ....
....
11 ....
....
12 ....
....
13 ....
....
14 ....
....
15 ....
....
16 ....
....
17 ....
....
18 ....
....
19 ....
....
20 ....
....
21 ....
....

mardi 13 Sainte Lucie

7 ....
....
8 ....
....
9 ....
....
10 ....
....
11 ....
....
12 ....
....
13 ....
....
14 ....
....
15 ....
....
16 ....
....
17 ....
....
18 ....
....
19 ....
....
20 ....
....
21 ....
....

décembre

DAVIDS EDGAR

Inter Milan – n° 8, né le 13/03/1973

Existe-il un joueur qui peut se vanter d'avoir joué à l'Ajax Amsterdam, au Milan AC, à la Juventus Turin, au FC Barcelone et à l'Inter Milan ? Eh bien oui ! Edgar Davids est celui-là ! Surnommé « le Pitbull » en raison de sa propension à ne jamais se résigner, Davids est le poumon de toutes les équipes pour lesquelles il joue. Inlassable coureur, contreur et relanceur, le Batave a donné au poste de milieu de terrain une nouvelle dimension physique et technique. Son palmarès témoigne de ses performances, puisqu'il peut se vanter d'avoir remporté une Ligue des Champions, une Coupe Intercontinentale, une Coupe UEFA, trois titres de champions des Pays-Bas et trois titres de champions d'Italie. Il ne lui reste plus qu'à glaner un trophée avec les « Oranges » de l'équipe des Pays-Bas.

5ᵉ journée

jeudi 15 Sainte Ninon

vendredi 16 Sa Ali

7	7
8	8
9	9
10	10
11	11
12	12
13	13
14	14
15	15
16	16
17	17
18	18
19	19
20	20
21	21

19ᵉ Journée

samedi 17
Saint Judicaël
Gaël

....
....
....
....
....
....
....
....
....
....
....
....

dimanche 18
Saint Gatien

....
....
....
....
....
....
....
....
....
....
....
....
....

décembre
QUIZ ?

76 Gabriele Batistuta a-t-il joué
à Parme ?
Oui — non.

77 Avant d'être renommé stade
Chaban-Delmas, comment s'appelait
l'enceinte bordelaise ?
Parc Denisot — Parc Lescure
— Parc De Greef.

78 À quoi attribue-t-on la défaite
des Verts en finale de Coupe
des Clubs Champions face
au Bayern Munich en 1976 ?
Au brouillard — à l'ambiance hostile
— aux poteaux carrés.

79 De quelle nationalité est
Pavel Nedved, le meneur de jeu
de la Juventus Turin, ?
Autrichienne — croate — tchèque.

80 Comment surnomme-t-on les
joueurs de Chelsea ?
Les Yellows — les Greens — les Blues.

RÉPONSES :
76 : Non / **77 :** Parc Lescure / **78 :** aux poteaux
carrés / **79 :** tchèque / **80 :** les Blues.

lundi 19 Saint Urbain

7
8
9
10
11
12
13
14
15
16
17
18
19
20
21

1/8ᵉ de finale

mardi 20 Saint Théophile

7
8
9
10
11
12
13
14
15
16
17
18
19
20
21

mercredi21 HIVER

décembre

RIVALDO

**Olympiakos Le Pirée – n° 5 ,
né le 19/04/1972**

Rivaldo, c'est la classe faite joueur, l'élégance à l'état pur. Altier dans sa conduite de balle, puissant et précis dans sa frappe, l'attaquant sait marquer, impliquer ses partenaires et jouer sans ballon. En 1999, son année de gloire, ses performances individuelles lui permettent d'entrer dans le gotha des joueurs ayant remporté la même année le titre de meilleur joueur FIFA et de celui de Ballon d'Or sous le maillot du Barça. Vainqueur de la Coupe du Monde (2002), de la Ligue des Champions (2003), d'une Super Coupe d'Europe (2003) et de deux championnats d'Espagne (1998, 1999), il enchante aujourd'hui les supporters de l'Olympiakos. La trentaine tassée, et après avoir porté neuf tuniques différentes, dont celles, prestigieuses, des Corinthians, de La Corogne, de Barcelone et du Milan AC, le phénomène brésilien ne brille plus autant que par le passé, mais reste l'un des joueurs les plus doués de sa génération.

jeudi 22 Saint François-Xavier

7

8

9

10

11

12

13

14

15

16

17

18

19

20

21

vendredi 23 Saint Arma

7

8

9

10

11

12

13

14

15

16

17

18

19

20

21

décembre QUIZ?

81 Combien de fois Johan Cruyff a-t-il eu le Ballon d'Or ?
1 — 2 — 3.

82 Quel est le premier Africain à avoir obtenu le Ballon d'Or ?
Abédi Pelé — Jay-Jay Okocha — George Weah.

83 Combien de fois le Real Madrid a-t-il remporté consécutivement la Coupe des Clubs Champions dans les années 1950 ?
5 — 4 — 3.

84 Quel est le premier club écossais à avoir remporté la Coupe des Clubs Champions ?
Le Celtic Glasgow — les Glasgow Rangers.

85 Pelé a-t-il joué en Europe ?
Oui — non.

RÉPONSES!
81 : 3 / 82 : George Weah / 83 : 5
84 : Celtic Glasgow / 85 : non.

lundi 26 Saint Étienne

7 ....
....
8 ....
....
9 ....
....
10 ....
....
11 ....
....
12 ....
....
13 ....
....
14 ....
....
15 ....
....
16 ....
....
17 ....
....
18 ....
....
19 ....
....
20 ....
....
21 ....
....

mardi 27 Saint Jean

7 ....
....
8 ....
....
9 ....
....
10 ....
....
11 ....
....
12 ....
....
13 ....
....
14 ....
....
15 ....
....
16 ....
....
17 ....
....
18 ....
....
19 ....
....
20 ....
....
21 ....
....

mercredi 28 Saints Innocents

PELÉ
Brésil - joueur de 1956 à 1977

S'il devait exister une divinité du football, Pelé en serait l'incarnation. Élu athlète du siècle par le Comité International Olympique, « le Roi Pelé » détient le record mondial de buts marqués : 1 281 en 1 363 matches officiels. Mais, au-delà de ses records, le petit attaquant brésilien se fait remarquer par son sens du jeu. Buteur inégalé, passeur émérite et dribbleur hors pair, Edson Arantes Do Nascimento, dit « Pelé », a débuté sa carrière au club de Santos à 15 ans, puis a participé à 17 ans à sa première Coupe du Monde qu'il va illuminer de son talent. En finale face à la Suède, il marque deux buts, dont un coup du sombrero suivi d'une reprise de volée ! La légende est en marche. Il remportera trois Coupes du Monde (1958, 1962 et 1970), onze championnats de Sao Paulo et six Coupes du Brésil. Aujourd'hui, Pelé est ambassadeur de l'ONU et de l'UNICEF et milite pour la paix dans le monde.

jeudi 29 Saint David

7 ....
....

8 ....
....

9 ....
....

10 ....
....

11 ....
....

12 ....
....

13 ....
....

14 ....
....

15 ....
....

16 ....
....

17 ....
....

18 ....
....

19 ....
....

20 ....
....

21 ....
....

vendredi 30 Sa Ro

7 ....
....

8 ....
....

9 ....
....

10 ....
....

11 ....
....

12 ....
....

13 ....
....

14 ....
....

15 ....
....

16 ....
....

17 ....
....

18 ....
....

19 ....
....

20 ....
....

21 ....
....

samedi 31
Saint
Sylvestre

---

dimanche 1
Sainte Marie
JOUR DE L'AN

---

86 Lors de quelle saison Beckenbauer a-t-il entraîné Marseille ?
1989/90 — 1990/91 — 1992/93.

87 Quel était le surnom de l'équipe nationale des Pays-Bas du temps de Cruyff ?
La Dream Team — les Oranges Mécaniques — la Cruyff's Family.

88 Quel était le surnom principal de Pelé ?
La Perle noire — le Diamant brut — la Pépite.

89 Quelles sont les couleurs officielles de l'Inter Milan ?
Rouge et noir — blanc et noir — bleu et noir.

90 Comment est surnommé Cafu ?
Le RER — le tramway — le TGV.

madjer le « talontueux »

Lorsque l'inspiration se met au service du spectacle et lorsque le génie se met au service du football, cela donne la célèbre talonnade de Rabah Madjer. Un geste admirable et inédit qu'on ne peut qu'applaudir avec ferveur.

madjer le « talo

FC PORTO – BAYERN MUNICH, FINALE DE LA COUPE DES CLUBS CHAMPIONS, 27 MAI 1987 (STADE DU PRATER À VIENNE)

Dans sa quête de suprématie nationale face au Benfica Lisbonne, le FC Porto manquait d'un succès marquant sur la scène européenne. Après avoir échoué de peu en finale de la Coupe UEFA en 1986 face à la Juventus Turin de Michel Platini, les « Dragons » de Porto se hissent, à la surprise générale, en finale de la plus prestigieuse compétition continentale. Pour faire face à l'impressionnant Bayern Munich et ses deux Ballons d'Or (Matthäus et Rummenige), Arthur Jorge, l'entraîneur portugais, lance un duo d'attaque atypique : Paulo Futre, talentueux mais jeune (19 ans), et Rabah Madjer, qui végétait deux ans plus tôt au Matra Racing de Paris ! Alors que le Bayern ouvre logiquement la marque dès la 19e minute par Kögl, les fougueux Portugais inversent progressivement la tendance. Menés à un quart d'heure de la fin, les partenaires de Joao Pinto se lancent alors dans la bataille. C'est le moment que

choisit Rabah Madjer pour s'illustrer. À quara mètres du but de Jean-Marie Pfaff, le portier ba rois, Paulo Futre profite d'une passe en retrait Juary pour éliminer un défenseur, s'infiltrer et re ser à son coéquipier brésilien dans la surface. Ju

contrôle le ballon puis lobe Pfaff d'une pichenette. Madjer, qui a anticipé la passe en profondeur, se retrouve pris à contre-pied et dos au but. N'ayant aucune alter- native, l'Algérien reprend instinc- tivement du talon un ballon qui file droit au but.

Le stade du Prater se lève comme un seul hom pour saluer le génie du « Talontueux ». Madjer er ainsi dans le panthéon du football grâce à ce ge

ueux »

ui portera son nom. Euphoriques, les joueurs de
orto attaquent à nouveau et Madjer déborde
oté gauche. Il adresse in extremis un centre pour
ary qui crucifie le Bayern et offre la victoire au FC
orto (2-1). L'Algérien avait pris une belle revanche
r un destin qui, à 28 ans, ne l'avait pas épargné,
mportant même le titre de Ballon d'Or africain
e l'année 1987.

LA FEUILLE DE MATCH
PORTO – BAYERN EN 1987 AVEC
LA TALONNADE DE MADJER

FC PORTO – FC Bayern München 2-1 (0-1)
27 mai 1987, Vienne
Praterstadion (62 000 spectateurs)

Porto :
Mlynarczyk - João Pinto,
Celso, Eduardo Luis, Inacio
(66e Frasco) - Quim
(46e Juary), Jaime
Magalhaes, Sousa,
Andre - Madjer, Futre.
Entraîneur : Artur Jorge.
Buts : Madjer, 78e ;
Juary, 80e.

Bayern :
Pfaff - Winklhofer,
Nachtweih, Eder,
Pflügler - Flick (82e Lunde),
Matthäus, Brehme -
D. Hoeness,
M. Rummenigge, Kögl.
Entraîneur : Udo Lattek.
But : Kögl, 25e.

infos janvier

La superbe saison de Rabah
Madjer et sa talonnade magique
lui vaudront le titre de Ballon d'Or
africain de l'année 1987.

Avant de jouer au FC Porto, Rabah
Madjer a fait partie de l'aventure
Matra Racing de Lagardère, puis a
rejoint Tours en D 2 en 1985.
Une saison de purgatoire avant de
connaître la lumière au FC Porto,
où il restera six années

Paulo Futre, le jeune attaquant
portugais, partira à l'Atletico
Madrid à la suite de ce succès.
Il jouera six saisons dans le club
espagnol avant de barouder au
Benfica, à Marseille, à Reggiana,
au Milan AC, à West Ham et à
Yokohama, clubs dans lesquels
il ne restera jamais plus d'une
saison.

lundi 2 Épiphanie

7 ....
....
8 ....
....
9 ....
....
10 ....
....
11 ....
....
12 ....
....
13 ....
....
14 ....
....
15 ....
....
16 ....
....
17 ....
....
18 ....
....
19 ....
....
20 ....
....
21 ....
....

mardi 3 Sainte Geneviève

7 ....
....
8 ....
....
9 ....
....
10 ....
....
11 ....
....
12 ....
....
13 ....
....
14 ....
....
15 ....
....
16 ....
....
17 ....
....
18 ....
....
19 ....
....
20 ....
....
21 ....
....

mercredi 4 Saint Odilon

NESTA ALESSANDRO

Milan AC — n° 13, né le 19/03/1976

Né à Rome, c'est tout naturellement au sein de la défense centrale de la Lazio qu'Alessandro Nesta débute sa carrière professionnelle en 1993. Véritable tour de contrôle, intraitable sur l'homme et précieux relanceur, il devient rapidement incontournable et se voit offrir en 1996 une première sélection justifiée en équipe d'Italie. Il participe activement au renouveau de la Lazio sur les pelouses transalpines et européennes. Mais, en 2002, alors qu'il est le favori des supporters romains, son transfert au Milan AC provoque des mécontentements. Les fans « laziale » organiseront même des manifestations dans les rues de Rome pour s'opposer à son départ. En vain. Nesta rejoint le Milan AC , avec lequel il s'impose en Ligue des Champions en 2003 et remporte un deuxième Scudetto en 2004, après celui obtenu en 2000 avec la Lazio.

jeudi 5 Saint Édouard

7 ....
....
8 ....
9 ....
10 ....
....
11 ....
....
12 ....
....
13 ....
....
14 ....
....
15 ....
....
16 ....
....
17 ....
....
18 ....
....
19 ....
....
20 ....
....
21 ....
....

vendredi 6 Saint Mélaine

7 ....
....
8 ....
9 ....
10 ....
....
11 ....
....
12 ....
....
13 ....
....
14 ....
....
15 ....
....
16 ....
....
17 ....
....
18 ....
....
19 ....
....
20 ....
....
21 ....
....

1/32ᵉ de finale

samedi 7
Saint Raymond

1/32ᵉ de finale

dimanche 8
Saint Lucien

---

quiz? *janvier*

91 Pour quel club nord-américain Pelé a-t-il joué ?
New York Cosmos — Los Angeles Aztecs — Washington Diplomats.

92 Quel est le vrai nom de Pelé ?
Julio Armando Veiga
— Nelson Garrido do Costa
— Edson Arantès do Nascimento.

93 Quel attaquant détient le record de buts en sélection anglaise ?
Lineker — Charlton — Shearer.

94 Quel est le record de buts marqués en finale de Coupe des Clubs Champions ?
6 — 8 — 10.

95 Quel le surnom du trophée de la Ligue des Champions ?
Trophée Jules Rimet
— Coupe aux grandes oreilles
— Trophée des Champions.

lundi 9 Sainte Alix

7 ....

....

8 ....

....

9 ....

....

10 ....

....

11 ....

....

12 ....

....

13 ....

....

14 ....

....

15 ....

....

16 ....

....

17 ....

....

18 ....

....

19 ....

....

20 ....

....

21 ....

....

mardi 10 Saint Guillaume

7 ....

....

8 ....

....

9 ....

....

10 ....

....

11 ....

....

12 ....

....

13 ....

....

14 ....

....

15 ....

....

16 ....

....

17 ....

....

18 ....

....

19 ....

....

20 ....

....

21 ....

....

RONALDINHO

FC Barcelone — n° 10, né le 21/03/1980

Véritable génie du football, Ronaldinho est découvert au Gremio Porto Alegre, son club formateur. En 2001, alors qu'il est en conflit avec son club et qu'il n'a pas joué de la saison, il choisit de partir au Paris Saint-Germain. Artiste, le Brésilien danse avec le ballon et se joue de tous les défenseurs, les éclaboussant de sa technique unique. Face aux sirènes des gros clubs, le PSG ne peut retenir sa star qui part en 2003 au FC Barcelone, où il marque 19 buts en 37 rencontres dès sa première saison. À seulement 25 ans, Ronaldinho Gaucho s'est déjà forgé un palmarès conséquent de vainqueur de la Copa America (1999) et de la Coupe du Monde (2002) avec le Brésil. En 2004, la FIFA le consacre « Meilleur footballeur de l'année », une distinction individuelle qui récompense son talent.

jeudi 12 Sainte Tatiana

7 ....
....
8 ....
....
9 ....
....
10 ....
....
11 ....
....
12 ....
....
13 ....
....
14 ....
....
15 ....
....
16 ....
....
17 ....
....
18 ....
....
19 ....
....
20 ....
....
21 ....
....

vendredi 13 Sai Yve

7 ....
....
8 ....
....
9 ....
....
10 ....
....
11 ....
....
12 ....
....
13 ....
....
14 ....
....
15 ....
....
16 ....
....
17 ....
....
18 ....
....
19 ....
....
20 ....
....
21 ....
....

22ᵉ journée

samedi 14
Sainte Nina

....
....
....
....
....
....
....
....
....
....
....
....

dimanche 15
Saint Rémi

....
....
....
....
....
....
....
....
....
....
....
....
....
....
....
....

QUIZ? janvier

96 Un club roumain a-t-il déjà remporté la Coupe des Clubs Champions ?
Oui (Steaua Bucarest) — non.

97 Maradona est...
Brésilien — argentin — mexicain.

98 En quelle année la télévision retransmet-elle pour la première fois un match des Bleus ?
1950 — 1954 — 1958.

99 En provenance de quel club Andreï Shevchenko est-il arrivé au Milan AC ?
CSKA Moscou — Dynamo Moscou — Dynamo Kiev.

100 Qui était à la tête de l'Olympique Marseille lors du succès en Ligue des Champions ?
Raymond Goethals — Gérard Gili — Jean Fernandez.

Réponses :
96 : Oui (Steaua Bucarest) / **97** : Argentin
98 : 1954 / **99** : Dynamo Kiev
100 : Raymond Goethals.

lundi 16 Saint Marcel

7

8

9

10

11

12

13

14

15

16

17

18

19

20

21

1/4 de finale

mardi 17 Sainte Roselyne

7

8

9

10

11

12

13

14

15

16

17

18

19

20

21

mercredi **18** Sainte Prisca

janvier

HEINZE GABRIEL

Manchester United – n° 4, né le 19/04/1978

La rage de vaincre personnifiée ! Gabriel Heinze possède cette « grinta » propre aux joueurs argentins. Son caractère bien trempé ajoute du piment à une personnalité hors du commun. Après avoir quitté les Newell's Old Boys argentins pour le Real Valladolid, il est arrivé au Paris Saint-Germain dans les valises de Luis Fernandez en 2001. Le temps de justifier une réputation de joueur dur et rigoureux, et « Gaby » trouve refuge à Manchester United dans un championnat qui lui ressemble. Intraitable sur l'homme et toujours bien placé, sa polyvalence (dans l'axe ou sur le côté) permet à ce pur gaucher de s'adapter à toutes les situations défensives, pour le plus grand bonheur d'Alex Ferguson. Finaliste de la Coupe de France en 2003 avec le PSG, l'Argentin compte bien étoffer son palmarès avec les Red Devils.

jeudi 19 Saint Marius

7 ....
....
8 ....
....
9 ....
....
10 ....
....
11 ....
....
12 ....
....
13 ....
....
14 ....
....
15 ....
....
16 ....
....
17 ....
....
18 ....
....
19 ....
....
20 ....
....
21 ....
....

vendredi 20 Saint Sébas

7 ....
....
8 ....
....
9 ....
....
10 ....
....
11 ....
....
12 ....
....
13 ....
....
14 ....
....
15 ....
....
16 ....
....
17 ....
....
18 ....
....
19 ....
....
20 ....
....
21 ....
....

23ᵉ journée

samedi 21
Sainte
Agnès

dimanche 22
Saint
Vincent

101 De quelle équipe Johan Cruyff a-t-il été l'entraîneur ?
Arsenal — Barcelone — PSV Eindhoven.

102 À part celles du maillot du Milan AC, de combien de clubs Paolo Maldini a-t-il porté les couleurs ?
0 — 1 — 2.

103 Dans quelle équipe européenne Rivaldo est-il transféré après Palmeiras ?
Barcelone — Deportivo La Corogne — Celta Vigo.

104 Quel numéro David Beckham porte-t-il à Madrid ?
10 — 5 — 23.

105 Qu'a fait Francesco Totti, la star de l'AS Roma, pour les besoins d'une cause humanitaire ?
Un livre avec des blagues sur lui-même — des karaokés dans les bars romains — le plus grand maillot de foot du monde.

RÉPONSES :
101 : Barcelone / **102** : 0
103 : Deportivo La Corogne / **104** : 23
105 : Un livre avec des blagues sur lui-même.

lundi 23 Saint Barnard

7 ....

8 ....

9 ....

10 ....

11 ....

12 ....

13 ....

14 ....

15 ....

16 ....

17 ....

18 ....

19 ....

20 ....

21 ....

mardi 24 Saint François de Salles

7 ....

8 ....

9 ....

10 ....

11 ....

12 ....

13 ....

14 ....

15 ....

16 ....

17 ....

18 ....

19 ....

20 ....

21 ....

mercredi 25

Conversion
de St Paul

MARADONA DIEGO

Argentine - joueur de 1976 à 1997

Pour comprendre la popularité dont jouit encore Maradona, il suffit d'assister à une rencontre au stade de la Bombonera de Buenos Aires et d'entendre les 102 000 spectateurs acclamer « El Pibe de Oro » lors de son apparition au balcon. Légende vivante du peuple argentin, il a débuté sa carrière professionnelle aux Argentinos Juniors, puis a rejoint Boca Juniors, avant de tenter l'aventure en Europe, au FC Barcelone, en 1982, où le monde entier découvre son pied gauche magique. Transféré au SSC Naples deux saisons plus tard, il y deviendra le meilleur joueur du monde. Mais sa forte personnalité versant dans la controverse lui jouera des tours. Un contrôle positif pour dopage à l'éphédrine lors du Mondial 1994 provoquera sa chute, mais n'entachera pas une notoriété qui fait de lui l'homme le plus populaire d'Argentine.

ANNIVERSAIRE
EUSEBIO

jeudi 26 Sainte Paule

7 ....
....
8 ....
....
9 ....
....
10 ....
....
11 ....
....
12 ....
....
13 ....
....
14 ....
....
15 ....
....
16 ....
....
17 ....
....
18 ....
....
19 ....
....
20 ....
....
21 ....
....

vendredi 27 Sai An

7 ....
....
8 ....
....
9 ....
....
10 ....
....
11 ....
....
12 ....
....
13 ....
....
14 ....
....
15 ....
....
16 ....
....
17 ....
....
18 ....
....
19 ....
....
20 ....
....
21 ....
....

24ᵉ journée

samedi 28
Saint Thomas d'Aquin

]

e

B

4

5

6

7

B

a

dimanche 29
Saint Gildas

]

e

B

4

5

6

7

B

a

QUIZ ? janvier

106 Quel est l'animal fétiche de la Lazio Rome ?
L'aigle — le dauphin — le tigre.

107 Le Brésilien du Milan AC est surnommé Kaka parce que :
Son petit frère ne pouvait dire Ricardo — son jeu est plein de déchets — Kaka signifie « star » dans les favelas.

108 Combien de victimes a faites le drame du Heysel ?
10 — 27 — 39.

109 À quel âge Lothar Matthäus a-t-il pris sa retraite ?
39 ans — 35 ans — 33 ans.

110 Quel entraîneur-sélectionneur a détecté George Weah au Tonnerre de Yaoundé ?
Jean-Marc Guillou — Claude Leroy — Alain Michel.

La grande époque des « verts »

Les légendes s'inscrivent bien souvent dans des épopées inachevée, inabouties. L'AS Saint-Étienne, bien que défaite en finale de Coupe des Champions par le Bayern en 1976, connaîtra la gloire et la renommée qui échoient habituellement aux vainqueurs.

La grande époque

1970 — 1976

Bien avant d'être vêtue de bleu, blanc et rouge pour la Coupe du Monde 1998, la France entière s'est drapée de vert, au rythme des exploits nationaux et européens de l'AS Saint-Étienne. Onze hommes crampons aux pieds, un entraîneur génial et un président visionnaire ont fait rêver les supporters et écrit l'une des plus glorieuses pages du football français. L'histoire commence à la fin des années soixante, alors que l'ASSE règne sans partage sur le championnat de France et vient de remporter quatre titres consécutifs (de 1967 à 1970). Mais l'équipe éclate. La crise est en sommeil. Heureusement, le sulfureux président Roger Rocher veille. Alors qu'Albert Batteux, le mythique entraîneur des Verts, tire sa révérence, Roger Rocher a une petite idée de son remplaçant. Ce sera Robert Herbin, sorti major de la promotion du stage national d'entraîneur. Encore joueur de l'ASSE, Herbin remt les crampons et s'attelle à la reconstruction de l'équipe avec des jeunes du centre

de formation, encadrés par les stars Jean-Mich Larqué et Aimé Jacquet. Avec les jeunes Dominiqu Rocheteau, Jacques Santini et les deux recrues étran gères inconnues, Curkovic et Piazza, les Ver prennent forme. L'ambition nourrit le tande Rocher-Herbin qui s'arme de patience pour vo mûrir l'équipe. Ils attendront 1974 pour être

LA FEUILLE DE MATCH
LES VERTS DE 1976

FC BAYERN MUNICH — AS Saint-Étienne 1-0 (0-0)
12 mai 1976, Glasgow
Hampden Park (54 684 spectateurs)

Bayern :
Maier - J. Hansen,
Schwarzenbeck,
Beckenbauer, Horsmann -
Dürnberger, Roth,
Kapellmann - K.H.
Rummenigge, G. Müller,
U. Hoeness.
Entraîneur : Dettmar Cramer.
But : Roth, 57e.

Saint-Étienne :
Curkovic - Janvion,
Piazza, López, Repellini -
Bathenay, Larqué,
Santini - H. Revelli,
P. Revelli, Sarramagna
(82e Rocheteau).
Entraîneur :
Robert Herbin.

s « Verts »

info**février**
infos

ouveau couronnés d'un
re de champion de France.
n Coupe des Clubs cham-
ons, les partenaires de
arqué butent sur le Bayern
unich de Beckenbauer en
emi-finale, la première
un club français depuis
59. Un avant-goût de la
buleuse saison 1975/76. Alors

n tête du championnat de France, l'ASSE multiplie les
erformances sur la scène européenne, se jouant de
openhague, des Glasgow Rangers, du Dynamo
ev et du PSV Eindhoven, pour retrouver le Bayern
unich en finale, le 12 mai 1976. Une rencontre d'an-
ologie, marquée par la malchance des Stéphanois.
athenay et Santini voient leur frappe repoussée
r les poteaux carrés de Sepp Maier, alors que Roth,
uelques minutes après, tire à mi-hauteur et trompe
urkovic (1-0). La défaite est lourde à assumer, les
ommes d'Herbin sont effondrés. Mais l'accueil extra-
dinaire que leur fera la France à leur retour offrira
ne teinte colorée au tableau noir de la défaite.

Avant la rencontre, Franz
Beckenbauer, le capitaine du
Bayern Munich, avait prédit :
« La victoire ira à la meilleure
équipe ou à la plus chanceuse des
deux équipes. » Une prémonition
qui s'avéra cruelle pour les
Stéphanois, qui touchèrent par
deux fois les poteaux carrés de
Sepp Maier, le gardien bavarois.

Jacques Vendroux, un jeune
journaliste de France Inter,
décide d'organiser sur les
Champs-Élysées un défilé de
l'équipe de l'ASSE au lendemain
de la finale perdue. Une idée
lumineuse qui se transforme en
bain de foule, asseyant ainsi la
popularité nationale des hommes
de Robert Herbin.

lundi 30 Sainte Martine

7 ....
....
8 ....
....
9 ....
....
10 ....
....
11 ....
....
12 ....
....
13 ....
....
14 ....
....
15 ....
....
16 ....
....
17 ....
....
18 ....
....
19 ....
....
20 ....
....
21 ....
....

1/16ᵉ de finale

mardi 31 Sainte Marcelle

7 ....
....
8 ....
....
9 ....
....
10 ....
....
11 ....
....
12 ....
....
13 ....
....
14 ....
....
15 ....
....
16 ....
....
17 ....
....
18 ....
....
19 ....
....
20 ....
....
21 ....
....

mercredi

Sainte
Ella

MORIENTE$ FERNANDO

Liverpool — n° 19, né le 05/04/1976

Estampillé joueur de tête, Fernando Morientes n'a sans doute pas réalisé la carrière que son potentiel technique et ses qualités de placement lui promettaient. Révélé au Real Saragosse après deux saisons à Albacete, « Nando » suscite des convoitises après une saison 1996/97 avec 15 buts au compteur. Le Real Madrid le séduit et l'idylle durera sept saisons. Le temps pour lui de remporter trois Ligues des Champions, deux championnats et deux Coupes d'Espagne. Mais l'arrivée de Ronaldo lui barre la place de titulaire et son destin le guidera jusqu'à Monaco, en 2003, où il réalise sa saison la plus complète. On le découvre complet, techniquement sans faille et d'une classe incroyable. Conscient de son erreur, le Real Madrid le récupère, mais, devant le manque d'enthousiasme de ses entraîneurs, il poursuivra sa saison à Liverpool.

jeudi 2 Présentation du Seigneur

7 ....
....
8 ....
....
9 ....
....
10 ....
....
11 ....
....
12 ....
....
13 ....
....
14 ....
....
15 ....
....
16 ....
....
17 ....
....
18 ....
....
19 ....
....
20 ....
....
21 ....
....

vendredi 3 Saint Blaise

7 ....
....
8 ....
....
9 ....
....
10 ....
....
11 ....
....
12 ....
....
13 ....
....
14 ....
....
15 ....
....
16 ....
....
17 ....
....
18 ....
....
19 ....
....
20 ....
....
21 ....
....

samedi 4

Sainte
Véronique

dimanche 5

Sainte
Agathe

QUIZ? février

111 Qu'est-ce qui a contraint Marco Van Basten à mettre un terme à sa fabuleuse carrière ?
Une blessure récurrente à la cheville
— des problèmes personnels
— un licenciement du Milan AC.

112 De quelle nationalité est Didier Drogba ?
Sénégalaise — camerounaise
— ivoirienne.

113 Qui était l'entraîneur de Valence lors de deux finales de Ligue des Champions perdues en 2000 et 2001 ?
Hector Cuper — Javier Irureta
— Luis Fernandez.

114 Qui dirigeait l'équipe du FC Porto lors de sa victoire en Coupe UEFA en 2003 ?
Arthur Jorge — Carlos Queiroz
— José Mourinho.

115 Combien de temps Raï a-t-il passé sur la pelouse avant de sortir lors de la finale de la Coupe des Coupes 1996, remportée par le Paris SG ?
90 minutes — 41 minutes
— 12 minutes.

RÉPONSES :
111 : Une blessure récurrente à la cheville
112 : Ivoirienne / **113** : Hector Cuper
114 : José Mourinho / **115** : 12 minutes.

lundi 6 Saint Gaston

7 ....
....
8 ....
....
9 ....
....
10 ....
....
11 ....
....
12 ....
....
13 ....
....
14 ....
....
15 ....
....
16 ....
....
17 ....
....
18 ....
....
19 ....
....
20 ....
....
21 ....
....

1/2 finale

mardi 7 Sainte Eugénie

7 ....
....
8 ....
....
9 ....
....
10 ....
....
11 ....
....
12 ....
....
13 ....
....
14 ....
....
15 ....
....
16 ....
....
17 ....
....
18 ....
....
19 ....
....
20 ....
....
21 ....
....

mercredi 8 MARDI-GRAS

février

KAKÁ

Milan AC — n° 22 , né le 22/04/1982

Petit prodige brésilien, Kaká est aussi pressé qu'il est précoce. Successeur de Raï dans le cœur des supporters de Sao Paulo à l'âge de 18 ans, il devient champion du monde en 2002 avant de tenter l'aventure au Milan AC sur les conseils de Leonardo, son ancien partenaire pauliste. Si le club lombard souhaite le prêter au Paris Saint-Germain pour qu'il s'aguerrisse, Ancelotti, impressionné par la technique et la puissance du jeune homme, décide de le conserver dans l'effectif. Pour sa première saison en Italie, Kaká, diminutif de Ricardo, remporte le Scudetto, puis est élu par ses pairs meilleur joueur de Série A devant Shevchenko et Totti. Désormais indiscutable titulaire des Rossoneri, « Kakalcio » s'épanouit au poste pourtant hybride de 9 et demi grâce à sa vision du jeu, à la qualité de ses passes et de sa frappe.

jeudi 9 Cendres

7
8
9
10
11
12
13
14
15
16
17
18
19
20
21

vendredi 10 Sai Arn

7
8
9
10
11
12
13
14
15
16
17
18
19
20
21

26ᵉ journée

samedi 11 Notre-Dame de Lourdes

....

....

....

....

....

....

....

....

....

....

....

....

....

....

dimanche 12 Saint Félix

....

....

....

....

....

....

....

....

....

....

....

Quiz février ?

116 De quelle aide psychologique les Parisiens ont-ils eu besoin pour préparer la finale de la Coupe des Coupes en 1996 ?
Une psychologue du sport
— la présence de Yannick Noah
— des séances de sophrologie.

117 Willy Sagnol a-t-il déjà remporté la Ligue des Champions ?
Oui — non

118 Quel est le vrai prénom civil de Johan Cruyff ?
Ronald — Marinus — Hendrik.

119 Quel est le plus grand stade au monde exclusivement consacré au football ?
Stade Maracana — Stade Aztec
— Stade de la Luz.

120 Quel est le numéro de Deco au FC Barcelone ?
10 — 15 — 20.

RÉPONSES!
116 : la présence de Yannick Noah / **117** : Oui
118 : Hendrik / **119** : Stade Aztec / **120** : 20.

lundi 13 Sainte Béatrice

7

8

9

10

11

12

13

14

15

16

17

18

19

20

21

mardi 14 Saint Valentin

7

8

9

10

11

12

13

14

15

16

17

18

19

20

21

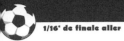

nercredi15 Saint Claude

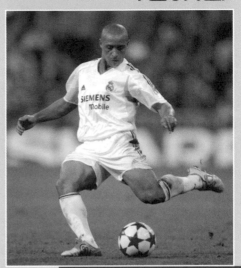

ROBERTO CARLOS

Real Madrid – n° 3 , né le 10/04/1973

Roberto Carlos est considéré comme le meilleur arrière gauche du monde. Ce latéral brésilien est aussi redouté par les défenseurs adverses que par les attaquants. Il faut dire que Roberto Carlos possède tous les atouts du monstre physique. Petit (1,68 m), il est néanmoins capable de courir le 100 mètres en moins de 11 secondes, de frapper régulièrement les coups francs à plus de 130 km/h et de réaliser des touches de plus de 30 mètres ! Roberto Carlos effectue ses débuts dans le modeste club de Uniao Sao Joao avant de jouer pour Palmeiras, avec lequel il sera sacré deux fois champion du Brésil. L'Inter Milan le transfère, mais il n'y restera qu'une saison avant de partir en 1996 pour le Real Madrid. C'est avec les Merengues que « Robertoc » se constituera un véritable palmarès avec trois Ligues de Champions, trois championnats d'Espagne et une Super Coupe d'Europe.

1/16ᵉ de finale aller

jeudi16 Sainte Julienne

vendredi17 Sai Ale

jeudi16	vendredi17
7	7
8	8
9	9
10	10
11	11
12	12
13	13
14	14
15	15
16	16
17	17
18	18
19	19
20	20
21	21

ANNIVERSAIRE
ADRIANO

samedi 18
Sainte
Bernadette

....
....
....
....
....
....
....
....
....
....
....
....
....
....

dimanche 19
Saint
Gabin

....
....
....
....
....
....
....
....
....
....
....
....
....

Quiz? février

121 Pourquoi Kaka porte-t-il le numéro 22 au Milan AC ?
Il est né un 22 du mois — il a deux frères et deux sœurs — il a marqué 22 buts lors de sa première saison pro.

122 Quel(s) club(s) Morientes a-t-il fréquenté(s) avant son arrivée au Real Madrid ?
Albacete et Saragosse — aucun — Celta Vigo.

123 Outre les « Galactiques », comment surnomme-t-on les joueurs du Real Madrid ?
Les Merengues — les Célestes — les Campeones.

124 Quel est le vrai prénom de Jay Jay Okocha ?
Robert — Jean-Luc — Augustine.

125 Après Monaco, quelle équipe a entraînée Arsène Wenger ?
Strasbourg — Nagoya — Arsenal.

RÉPONSES :
121 : Il est né un 22 du mois / **122** : Albacete et Saragosse / **123** : Les Merengues
124 : Augustine / **125** : Nagoya.

lundi20 Sainte Aimée

7
8
9
10
11
12
13
14
15
16
17
18
19
20
21

1/8ᵉ de finale aller

mardi21 Saint Pierre-Damien

7
8
9
10
11
12
13
14
15
16
17
18
19
20
21

VAN BASTEN MARCO

Pays-Bas, joueur de 1981 à 1995

Il est, avec Platini et Cruyff, l'un des trois joueurs à avoir remporté à trois reprises le Ballon d'Or (1988, 1989, 1992). Attaquant puissant et racé, Marco Van Basten restera à jamais le symbole de l'élégance. Formé à l'Ajax d'Amsterdam, club pour lequel il a inscrit 128 buts, il rejoint en 1987 le Milan AC. Symbole avec son compère Ruud Gullit du « Grand Milan » d'Arrigo Sacchi, il remporte deux Coupes des Clubs champions (1989 et 1990) et trois Scudetti. En 58 sélections pour les Pays-Bas, Van Basten marque à 24 reprises. Lors de l'Euro 1988, il conduit les Oranges à la victoire en inscrivant notamment en finale contre l'URSS (victoire 2 à 0) l'un des plus beaux buts de l'histoire d'une exceptionnelle reprise de volée. Il est actuellement le sélectionneur des Pays-Bas.

1/16ᵉ de finale retour

jeudi 23 Saint Lazare

7	
8	
9	
10	
11	
12	
13	
14	
15	
16	
17	
18	
19	
20	
21	

vendredi 24 Sai Mo

7	
8	
9	
10	
11	
12	
13	
14	
15	
16	
17	
18	
19	
20	
21	

samedi 25

Saint Roméo

....
....
....
....
....
....
....
....
....
....

dimanche 26

Saint Nestor

....
....
....
....
....
....
....
....
....
....
....
....
....
....
....
....

Quiz? février

126
Paulo Futre a-t-il joué à l'Olympique Marseille ?
Oui — non.

127
En quelle année Barthez signe-t-il pour la première fois à Marseille ?
1990 — 1992— 1994.

128
Qui entraînait les Girondins de Bordeaux lors de leur exploit face au Milan AC en quarts de finale de la Coupe UEFA en 1996 ?
Gernot Rohr — Elie Baup — Gérard Gili.

129
Dans quel club brésilien a débuté Pelé ?
Sao Paulo — Fluminense — Santos.

130
Qui est l'inventeur du football total ?
Johan Cruyff — Alex Ferguson — Rinus Michels.

RÉPONSES !
126 : Oui / 127 : 1992 / 128 : Gernot Rohr
129 : Santos / 130 : Rinus Michels.

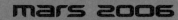

vata, la main du diable

Cette main-là, contrairement à celle de Maradona, n'était pas celle de Dieu. Lorsque Vata marque avec son bras et élimine Marseille, un réel sentiment d'injustice et de colère monte. La cité phocéenne est meurtrie...

vata, la main

BENFICA LISBONNE-OLYMPIQUE MARSEILLE, DEMI-FINALE COUPE DES CLUBS CHAMPIONS, 18 AVRIL 1990 (STADE DE LA LUZ, LISBONNE)

Ce soir du 18 avril 1990 restera gravé dans les mémoires phocéennes comme une blessure ouverte laissant échapper un amer sentiment d'injustice. Opposé en demi-finale de la Coupe des Clubs Champions au Benfica Lisbonne, l'OM surfe sur une probante campagne européenne jalonnée de succès sur Brondby, l'AEK Athènes et Sofia. Le club lisboète est le premier adversaire majeur à se mettre en travers de la route des Marseillais. Incroyablement supérieurs à leurs adversaires lors du match aller, les Phocéens ne parviennent pourtant pas à se mettre à l'abri définitivement et ne remportent la rencontre que 2-1. Le Portugais Lima avait profité du manque de compétition de Jean Castaneda, remplaçant de Gaétan Huard, pour le tromper de la tête. Sauzée, puis Papin, avaient permis aux Olympiens de reprendre l'avantage au score, alors qu'en seconde

période Enzo Francescoli manque de réussite p[our] aggraver le score. Pour le match retour au Sta[de] de la Luz, les hommes de Gérard Gili se présent[ent] donc avec un seul but d'avance et décident [de] conserver leur avantage en alignant six joueurs à vocation défensive. La tactique semble payante puisque, à part un tir sur le montant en première période, Jean Castaneda passe une soirée plutôt tranquille. Mais, à la 83e minute, alors que la France entière

diable

ute son chronomètre et maudit les secondes trop
ntes à s'égrener, Magnusson tire un corner au
cond poteau. Le ballon lobe Eric Di Méco et se
ige vers Vata, entré quelques instants plus tôt à
place de Lima. L'attaquant de Benfica, trop court
tête, avance son bras et détourne le cuir dans les
ts de Castaneda, incrédule. Les 110 000 suppor-
s portugais du Stade de la Luz, tendus par l'enjeu,
libèrent dans un élan d'allégresse qui n'a d'égal
e l'ampleur de la désillusion marseillaise. Malgré
vives protestations d'Eric Di Méco, qui a assisté à
ction litigieuse, M. Van Langenhove, masqué lors
celle-ci, valide le but et offre une terrible et injuste
alification au Benfica Lisbonne.

Lors du match aller remporté 2-1, les Marseillais ont touché du bois sur une reprise de Jean-Pierre Papin qui s'écrase sur le poteau. Enzo Francescoli met ensuite le feu dans la défense lisboète avec un tir en pivot, une reprise taclée et un ciseau acrobatique. En vain.

Transféré à l'intersaison du Benfica Lisbonne à l'Olympique Marseille, le Brésilien Carlos Mozer avait à cœur de vaincre ses anciens coéquipiers et, malgré son poste de défenseur, montait sur tous les coups de pieds arrêtés.

Ricardo, le défenseur, et Valdo, le meneur de jeu, ont ensuite été transférés au Paris Saint-Germain, avec lequel ils réaliseront de fabuleuses campagnes européennes face à Barcelone et au Real Madrid.

lundi 27 <small>Sainte Honorine</small>

7 ....

8 ....

9 ....

10 ....

11 ....

12 ....

13 ....

14 ....

15 ....

16 ....

17 ....

18 ....

19 ....

20 ....

21 ....

mardi 28 <small>Saint Romain</small>

7 ....

8 ....

9 ....

10 ....

11 ....

12 ....

13 ....

14 ....

15 ....

16 ....

17 ....

18 ....

19 ....

20 ....

21 ....

Match équipe de France

mercredi

Saint
Aubin

BECKHAM DAVID

Real Madrid — n° 23, né le 2/05/1975

David Beckham est plus qu'un footballeur. Initialement milieu de terrain droit talentueux et célèbre pour ses centres précis, ses passes lumineuses et ses coups francs décisifs, « Becks » a dépassé le stade de la simple notoriété footbalistique pour devenir une icône people. Son mariage avec Victoria Posh des Spice Girls et leurs frasques amoureuses font la une des tabloïds mondiaux. Véritable produit marketing, le beau David n'en reste pas moins l'un des meilleurs joueurs à son poste et se voit transférer pour 35 millions d'euros au Real Madrid en 2003, après dix années de fidélité à Manchester United. Aux côtés de Figo et Zidane, Beckham se voit attribuer un rôle plus en retrait dans l'entrejeu des Merengues. Une tâche délicate qui, en plus de son sens du collectif, met en valeur ses qualités physiques et de récupération de ballon.

jeudi 2  Saint Charles le Bon

7 ....

8 ....

9 ....

10 ....

11 ....

12 ....

13 ....

14 ....

15 ....

16 ....

17 ....

18 ....

19 ....

20 ....

21 ....

vendredi 3 MI-CAR

7 ....

8 ....

9 ....

10 ....

11 ....

12 ....

13 ....

14 ....

15 ....

16 ....

17 ....

18 ....

19 ....

20 ....

21 ....

....

....

....

....

....

....

....

....

....

....

....

....

....

dimanche5 Sainte Olivia

....

....

....

....

....

....

....

....

....

....

....

....

quiz? mars

131 Quel était le poste de
Franz Beckenbauer ?
Libero — meneur de jeu — attaquant.

132 Quel geste technique le gardien
colombien René Higuita a-t-il inventé ?
Le coup du sombrero
— le coup du scorpion
— le coup de coude.

133 Lors de la victoire de l'OM en finale
de la Ligue des Champions, Jean-Pierre
Papin faisait-il partie de l'équipe ?
Oui — non.

134 Qui est le dernier Ballon d'Or anglais ?
Michael Owen — Alan Shearer
— Paul Gascoigne.

135 Pour quelle équipe Romario et Ronaldo
ont-ils joué en arrivant en Europe ?
Feyenoord Rotterdam
— PSV Eindhoven — Ajax Amsterdam.

lundi6  Sainte Colette

7 ....
....
8 ....
....
9 ....
....
10 ....
....
11 ....
....
12 ....
....
13 ....
....
14 ....
....
15 ....
....
16 ....
....
17 ....
....
18 ....
....
19 ....
....
20 ....
....
21 ....
....

1/8ᵉ de finale retour

mardi7 Sainte Félicité

7 ....
....
8 ....
....
9 ....
....
10 ....
....
11 ....
....
12 ....
....
13 ....
....
14 ....
....
15 ....
....
16 ....
....
17 ....
....
18 ....
....
19 ....
....
20 ....
....
21 ....
....

VIEIRA PATRICK

Arsenal — n° 4, né le 23/06/1976

Capitaine des Bleus, Patrick Vieira est le prototype du milieu récupérateur moderne. Travailleur infatigable et doté d'un énorme physique (1,91 m), « Pat » a rapidement évolué au plus haut niveau, en signant à 19 ans au Milan AC (champion d'Italie 1996). Mais c'est à Arsenal, sous la houlette d'Arsène Wenger, que l'ancien Cannois a véritablement pris son envol. Son abattage, sa puissance et sa fidélité au club en ont rapidement fait la coqueluche de Highbury. Icône des Gunners, le « Frenchy » a conduit les Londoniens vers trois titres de champion d'Angleterre (1998, 2002 et 2004), trois Cups (1998, 2002 et 2003) et une finale de Coupe UEFA (2000), en neuf saisons. Après avoir remporté le Mondial 1998 et l'Euro 2000, Vieira a naturellement pris la succession de Didier Deschamps dans l'entrejeu des Bleus.

1/8ᵉ de finale aller

jeudi 9 Sainte Françoise R.

7	
8	
9	
10	
11	
12	
13	
14	
15	
16	
17	
18	
19	
20	
21	

▶ **ANNIVERSAIRE**
  MAKAAY

vendredi 10 Sai Viv

7	
8	
9	
10	
11	
12	
13	
14	
15	
16	
17	
18	
19	
20	
21	

▶ **ANNIVERSAIRE**
  ETO'O

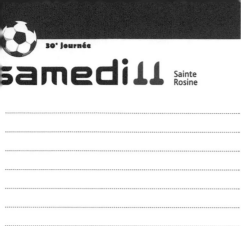

30ᵉ journée
samedi 11 Sainte Rosine

....
....
....
....
....
....
....
....
....
....
....

dimanche 12 Sainte Justine

....
....
....
....
....
....
....
....
....
....
....
....
....
....

le 11/03
ANNIVERSAIRE
DROGBA

quiz? mars

136 Quelle est la seule équipe d'Europe à avoir remporté quatre trophées durant l'année 2004 ?
FC Porto — Chelsea — Milan AC.

137 Quel club espagnol Luis Fernandez a-t-il sauvé de la relégation en 2004 ?
Espanyol Barcelone — Real Saragosse — Athletic Bilbao.

138 Comment surnomme-t-on les joueurs d'Arsenal ?
Les Strikers — les Bullets — les Gunners.

139 Quel club espagnol l'ancien Nantais Raynald Denoueix a-t-il qualifié pour la Ligues des Champions ?
Celta Vigo — Real Sociedad — Real Saragosse.

140 Pour quel club Bixente Lizarazu a-t-il joué après Bordeaux ?
Athletic Bilbao — Olympique Marseille — Bayern Munich.

RÉPONSES:
136 : FC Porto / **137** : Espanyol Barcelone
138 : les Gunners / **139** : Real Sociedad
140 : Athletic Bilbao.

lundi 13 Saint Rodrigue

7 ....
....
8 ....
....
9 ....
....
10 ....
....
11 ....
....
12 ....
....
13 ....
....
14 ....
....
15 ....
....
16 ....
....
17 ....
....
18 ....
....
19 ....
....
20 ....
....
21 ....
....

mardi 14 Sainte Mathilde

7 ....
....
8 ....
....
9 ....
....
10 ....
....
11 ....
....
12 ....
....
13 ....
....
14 ....
....
15 ....
....
16 ....
....
17 ....
....
18 ....
....
19 ....
....
20 ....
....
21 ....
....

 ANNIVERSAIRE
DAVIDS

1/8ᵉ de finale retour

mercredi15

Sainte
Louise

ZICO

Brésil — joueur de 1967 à 1994

Après les formidables années Pelé, le Brésil connaît un passage à vide à la fin des années 70. Mais l'arrivée au plus haut niveau de Zico va lui redonner le sourire. Né à Rio de Janeiro, cet artiste, symbole du beau jeu, présente un palmarès bien maigre par rapport à son talent. Il a bien sûr fait le bonheur de Flamengo (520 buts en 731 matches !), le club de sa vie, avec lequel il a tout gagné. Il tenta sa chance en Italie à l'Udinese de 1983 à 1985. Mais c'est avec la sélection brésilienne que Zico connut ses plus belles heures de gloire (48 buts en 71 sélections). Malheureusement, il ne remporta aucune des trois Coupes du Monde auxquelles il participa (1978, 1982, 1986). Pourtant, beaucoup considèrent que lors du « Mundial » espagnol de 1982, la Seleçao de Zico et Socratès fut la plus séduisante de toute l'histoire. Précurseur, Zico termina sa carrière au Japon dont il est aujourd'hui le sélectionneur.

1/8ᵉ de finale retour

jeudi16
Sainte
Bénédicte

vendredi17
Sair
Pat»

	jeudi 16		vendredi 17
7		7	
8		8	
9		9	
10		10	
11		11	
12		12	
13		13	
14		14	
15		15	
16		16	
17		17	
18		18	
19		19	
20		20	
21		21	

....

....

....

....

....

....

....

....

....

....

....

dimanche 19
Saint
Joseph

....

....

....

....

....

....

....

....

....

....

....

....

....

▶ **ANNIVERSAIRE
NESTA**

QUIZ? mars

141 Quel défenseur de la Juventus était également aux côtés de Thuram à Parme ?
Alessandro Nesta — Gianluca Pessotto — Fabio Cannavaro.

142 Combien de fois Pelé a-t-il marqué quatre buts dans le même match ?
5 — 20 — 30.

143 Quel est le club le plus titré d'Angleterre, avec un palmarès de 43 Coupes nationales, championnats et Coupes d'Europe remportées ?
Liverpool — Arsenal — Manchester.

144 Au classement des meilleurs clubs européens, à quelle place se situe l'AS Saint-Étienne ?
12 — 35 — 101.

145 Quel est le club le plus titré d'Espagne, avec un palmarès de 54 Coupes nationales, championnats et Coupes d'Europe remportées ?
Barcelone — Real Madrid — Atletico Madrid.

RÉPONSES:
141 : Fabio Cannavaro / **142** : 30
143 : Liverpool / **144** : 101 / **145** : Real Madrid.

lundi 20 PRINTEMPS

7
8
9
10
11
12
13
14
15
16
17
18
19
20
21

1/8ᵉ de finale

mardi 21 Sainte Clémence

7
8
9
10
11
12
13
14
15
16
17
18
19
20
21

ANNIVERSAIRES
MATTHÄUS
RONALDINHO

mars

THURAM LILIAN

Juventus Turin — n° 21, né le 01/01/1972

Comme Zidane, Lilian Thuram a connu
l'apothéose lors de la Coupe du Monde 1998,
en sauvant les Bleus grâce à un incroyable
doublé contre la Croatie en demi-finale.
Également sacré à l'Euro 2000, le Guadeloupéen
(103 sélections) s'est imposé comme l'un des
meilleurs défenseurs du monde. Lancé par
Monaco, Thuram a atteint sa pleine maturité
en Italie avec Parme et la Juventus Turin.
Sa puissance et son implacable volonté lui
permettent de décrocher les titres de
meilleur joueur étranger (1997) et de
meilleur défenseur de Série A (1998). Lauréat
de la Coupe UEFA et de la Coupe d'Italie avec
Parme (1999), il a étoffé son palmarès dans
les rangs de la Juve. Sous les couleurs
Bianconeri, « Tutu » glane deux titres de
champion d'Italie (2002 et 2003) et dispute
une finale de Ligue des Champions (2003).

jeudi 23 Saint Victorien

7 ....

....

8 ....

....

9 ....

....

10 ....

....

11 ....

....

12 ....

....

13 ....

....

14 ....

....

15 ....

....

16 ....

....

17 ....

....

18 ....

....

19 ....

....

20 ....

....

21 ....

....

vendredi 24 Sainte C de Suède

7 ....

....

8 ....

....

9 ....

....

10 ....

....

11 ....

....

12 ....

....

13 ....

....

14 ....

....

15 ....

....

16 ....

....

17 ....

....

18 ....

....

19 ....

....

20 ....

....

21 ....

....

32ᵉ Journée

samedi 25 Saint Humbert

....

....

....

....

....

....

....

....

....

dimanche 26 Sainte Larissa

....

....

....

....

....

....

....

....

....

....

....

quiz? mars

146 Quel club anglais est resté invaincu durant toute la saison 2003/2004 ?
Arsenal — Liverpool — Chelsea.

147 Quel club italien est resté invaincu durant toute la saison 1991/92 ?
Sampdoria Gènes — Parme — Milan AC.

148 Quel est le club qui a disputé consécutivement le plus de fois (15) la Coupe des Clubs Champions ?
Real Madrid — Sparta Prague — Bayern Munich.

149 Quel est le seul joueur à avoir remporté les trois Coupes d'Europe avec trois clubs différents (Sampdoria, Juventus, Chelsea) ?
Gianluca Vialli — Gianfranco Zola — Fabio Cudicini.

150 De quelle nationalité est Ryan Giggs, le milieu défensif de Manchester United ?
Écossaise — irlandaise — galloise.

RÉPONSES :
146 : Arsenal / **147** : Milan AC / **148** : Real Madrid / **149** : Gianluca Vialli / **150** : Galloise.

lundi 27 Saint Habib

7
8
9
10
11
12
13
14
15
16
17
18
19
20
21

mardi 28 Saint Gontran

7
8
9
10
11
12
13
14
15
16
17
18
19
20
21

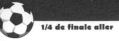

MATTHÄUS LOTHAR
Allemagne – joueur de 1979 à 2000

Modèle de longévité (21 ans de carrière et 947 matches !), Lothar Matthäus a été le capitaine d'une génération dorée, championne du monde en 1990. Fort de ses 150 sélections avec la Mannschaft et de son record de 25 matches de Coupe du Monde, le Ballon d'Or 1990 a ouvert son palmarès lors de l'Euro 80. Ensuite, les succès ont été nombreux avec le Bayern Munich (6 titres de champion d'Allemagne), mais aussi aux côtés de ses compatriotes Brehme et Klinsmann à l'Inter Milan (champion d'Italie 1989 et Coupe UEFA 1991). Milieu offensif doté d'une puissance de frappe redoutable, l'Allemand a participé à cinq phases finales de Coupe du Monde (de 1982 à 1998). Reconverti libero en fin de carrière, le meilleur joueur FIFA 1991 a décroché à ce poste sa deuxième Coupe UEFA en 1995-1996 sous les couleurs bavaroises.

1/4 de finale aller

jeudi 30 Saint Amédée

7	
8	
9	
10	
11	
12	
13	
14	
15	
16	
17	
18	
19	
20	
21	

vendredi 31 Saint Benja

7	
8	
9	
10	
11	
12	
13	
14	
15	
16	
17	
18	
19	
20	
21	

33ᵉ journée

samedi 1
Saint Hugues

dimanche 2
Sainte Sandrine

mars - avril
quiz?

151 Quel est le joueur qui a remporté le plus de Coupes des Clubs Champions ? Alfredo Di Stefano — Francisco Gento — Frank Rijkaard.

152 Quel est le premier Français à avoir été élu joueur de l'année en Angleterre ? Éric Cantona — Didier Six — David Ginola.

153 Quel est le seul gardien français à avoir été élu meilleur joueur du championnat italien ? Fabien Barthez — Lionel Charbonnier — Sébastien Frey.

154 Combien de fois l'attaquant du Real Madrid Raul a-t-il été élu joueur de la saison en Espagne ? 4 — 5 — 6.

155 Dans quel club Nicolas Anelka a-t-il été transféré lors de la saison 2004/2005 ? Galatasaray — Besiktas — Fenerbahçe.

tches

avril 2006

Le Grand milan de Sacchi

Lorsque tout est réuni : joueurs, entraîneur, dirigeants, finances et supporters, il est rare qu'une équipe ne marque pas son époque. Le Milan AC version Arrigo Sacchi a dominé l'Italie et l'Europe de la tête et des épaules, déployant un jeu aussi physique qu'attrayant.

LA FEUILLE DE MATCH
LE GRAND MILAN DE SACCHI,
VAN BASTEN, GULLIT

(années 1988/89 et 1989/90)

Milan :
G. Galli – Tassotti, F. Baresi, Costacurta, P. Maldini – Evani,
Colombo, Rijkaard, Donadoni, Ancelotti – Gullit, Virdis,
van Basten, Massaro.
Entraîneur : Arrigo Sacchi.

SAISONS 1988-1989 ET 1989-1990

Comment se définit une équipe exceptionnelle ? Par
la qualité de ses joueurs ? Par son système de jeu ?
Les plus grands tacticiens de l'histoire du football sont
convaincus que c'est le système qui fait le joueur, et
non l'inverse. Dans les années 1960, Helenio Herrera,
l'entraîneur de l'Inter Milan, invente le « catenaccio »
(« verrou » en italien), axé autour d'une assise défensive irréprochable. Une décennie plus tard, Rinus
Michels, le technicien de l'Ajax Amsterdam, conçoit
le football total porté vers l'attaque. À la fin des
années 1980, un illustre inconnu, Arrigo Sacchi, prend
les rênes du Milan AC après le rachat de l'équipe par
Silvio Berlusconi, et commence à philosopher sur la
zone 4-4-2. Ces trois systèmes de jeu qui ont révolutionné les stratégies du football ne trouvent leur
essence que dans la rigueur du placement et dans
le mouvement collectif. Le système développé par
Sacchi s'inscrit dans cette perspective, avec comme

originalité de responsabiliser les joueurs en ta
qu'hommes capables de mettre leur désir de pe
formances individuelles au service de l'équipe. Sac
n'invente pas le foot, mais adopte une maniè
novatrice de le pratiquer. Se fondant sur le 4-4-2
veut que son équipe presse l'adversaire dans s
camp et que la ligne de la défense se positionne
niveau de la moitié de terrain. La clef du succès re
l'harmonie du déplacement simultané des or
joueurs sur la pelouse en suivant le ballon.
système exige une compréhension et une adhési
sans faille de toute l'équipe. Dès sa prise en main

Milan AC, Sac
se heurte a
traditionalist
Mais le soutien
Berlusconi et
charisme du te
ticien achève
de convaincre
joueurs qui, c
qu'ils pratique
ce système de j
obtiennent la v
toire. À chaq

ne s'affirme un
tron : Baresi en
fense, Rijkaard au
lieu et le duo Gullit-
n Basten en
taque. Un cocktail
tonnant qui fait du
an AC une véritable
achine à succès. Les
Rossoneri » rempor-
t ainsi un « scudetto »
hampionnat italien) en 1988, deux Coupes des
ubs champions, deux Super Coupes d'Europe et
ux Coupes Intercontinentales en 1989 et 1990. Mais
ystème est très exigeant physiquement et éprou-
nt mentalement. Les joueurs explosent la saison
vante, avec néanmoins la satisfaction d'avoir
né sur le football mondial durant deux ans.

Pour sa première finale de Coupe des Clubs Champions depuis 1969, le Milan AC de Sacchi étrille le Steaua Bucarest par l'un des scores les plus larges de l'histoire de la compétition : 4-0.

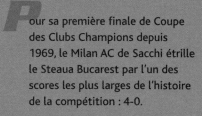

En 1989, Marco Van Basten devient meilleur réalisateur de la Coupe des Clubs Champions avec 10 buts, dont 2 en finale, comme son compatriote et coéquipier Ruud Gullit.

Fils d'un petit industriel de la chaussure, Arrigo Sacchi était destiné à reprendre l'entreprise familiale. Mais son amour pour le ballon le conduit à sillonner l'Europe pour découvrir et apprendre la meilleure façon de jouer au football. C'est ainsi qu'il se forge ses préceptes tactiques.

lundi3  Saint Richard

7 ....
....
8 ....
....
9 ....
....
10 ....
....
11 ....
....
12 ....
....
13 ....
....
14 ....
....
15 ....
....
16 ....
....
17 ....
....
18 ....
....
19 ....
....
20 ....
....
21 ....
....

1/4 de finale retour

mardi4 ANNONCIATION

7 ....
....
8 ....
....
9 ....
....
10 ....
....
11 ....
....
12 ....
....
13 ....
....
14 ....
....
15 ....
....
16 ....
....
17 ....
....
18 ....
....
19 ....
....
20 ....
....
21 ....
....

1/4 de finale retour

mercredi5 Sainte Irène

BALLACK MICHAEL

Bayern Munich — n° 13, né le 26/09/1976

Stratège de la Mannschaft et du Bayern Munich, Michael Ballack est un surdoué du ballon rond. Champion d'Allemagne dès sa première saison en Bundesliga (1998 avec Kaiserslautern), le natif d'ex-Allemagne de l'Est est un milieu aussi à l'aise à la récupération qu'à la finition. Au Bayer Leverkusen, le colosse allemand (1,89 m) se révèle en finale de Ligue des Champions (2002). Lors du Mondial asiatique, en 2002, après avoir été le héros en quart et en demi-finale, Ballack, suspendu, assiste des tribunes à la défaite des siens en finale contre le Brésil. Sacré meilleur joueur de la Bundesliga en 2002 (17 buts), Ballack rejoint alors le Bayern Munich et en devient le régulateur. Grâce à son énorme volume de jeu, les Bavarois réussissent un doublé Coupe-Championnat d'Allemagne en 2003.

ANNIVERSAIRE
MORIENTES

1/4 de finale retour

jeudi 6 Saint Marcellin

7	
8	
9	
10	
11	
12	
13	
14	
15	
16	
17	
18	
19	
20	
21	

vendredi 7 Saint J.- de la Sa

7	
8	
9	
10	
11	
12	
13	
14	
15	
16	
17	
18	
19	
20	
21	

34ᵉ Journée

samedi 8 Sainte Julie

....

....

....

....

....

....

....

....

....

....

dimanche 9 Saint Gauthier

....

....

....

....

....

....

....

....

....

....

....

....

....

quiz? avril

156
Pour quel club portugais Mario Jardel n'a-t-il jamais joué ?
FC Porto — Sporting Lisbonne — Benfica Lisbonne.

157
Lorsque Aimé Jacquet, sélectionneur des futurs Champions du Monde, déclare : « Muscle ton jeu ! », à qui s'adresse-t-il ?
Zinedine Zidane — Robert Pirès — Thierry Henry.

158
Quel est le seul gardien de but à avoir obtenu le Ballon d'Or ?
Lev Yachine — Fabien Barthez — Oliver Kahn.

159
Où se trouve le stade Maracana ?
Mexico — Buenos Aires — Rio de Janeiro.

160
Quel numéro porte Fabien Barthez en équipe de France ?
1 — 11 — 16.

lundi10  Saint Fulbert

7

8

9

10

11

12

13

14

15

16

17

18

19

20

21

▶ ANNIVERSAIRE
ROBERTO CARLOS

1/4 de finale

mardi11 Saint Stanislas

7

8

9

10

11

12

13

14

15

16

17

18

19

20

21

ZIDANE ZINEDINE

Real Madrid — n°5, né le 23/06/1972

Zizou fait partie du Panthéon du football. Ses titres autant que son style de jeu ont contribué à écrire sa légende. Le talent de l'ancien n° 10 des Bleus a éclaté au grand jour un soir de juillet 1998. En finale de la Coupe du Monde, l'enfant de la Castellane entre dans l'Histoire avec deux coups de tête face au Brésil. En 2000, Zidane et les Bleus décrochent l'Euro. L'équipe de France, Zizou la quitte après un incroyable doublé face à l'Angleterre (Euro 2004). En club, le Ballon d'Or 1998, formé à l'AS Cannes, atteint avec Bordeaux la finale de la Coupe UEFA (1996). Après deux titres de champion d'Italie et deux finales de C1 perdues (Juventus), le meilleur joueur FIFA 1998, 2000 et 2003, vainqueur de deux Coupes Intercontinentales, décroche enfin la Ligue des Champions avec le Real Madrid (2002).

7

8 <u>Season Snapshots</u>

9 Abernethy 5-2 Methven

10

11 Abernethy conceded within seconds. They hit back 5 mins

12 later. In total they created 11 chances to Methven's 2.

13 MOTM: Shane

14 Burleton 1-2 Abernethy

15 Andy's debut saw a very

16 tense match. Not many chances in first half Burleton score

17 with header in a series of chances. Abernethy score on the

18 brink of half-time with the prospect of playing down the

19 hill in the second half things looked bright ~~but~~ yet

20 it turned out nervous. However a injury time winner

21 from gary seal a place in the semis
MOTM: Andy

7 Abernethy 3-0 Leatham

8 The semi final got off

9 to a great start for Abernethy as Shane headed home Lewis'

10 corner. After a Penalty miss for the Tagglers. Ten mins into the

11 second half Lewis turned score to blast home a ball that

12 broke to the edge of the box for mins from the end Liam

13 wrapped it up in the style, a trade mark goal, cutting in

14 from the left on to his right and taking on three players in

15 process, to secure Abernethy place in the final. Tagglers

16 pressed but to now avail as Abernethy knock them out of a

17 cup.

18 MOTM: LIAM

19

20

21

samedi 15 Saint Paterne

Dundee Celtic V Abernethy

Abernethy scored 10 mins
in when the ball through from
Lewis was finished by Shane
A couple of mins later Liam
hit a volley into the top
corner Dundee Celtic pegged
I back with a scrappy rebbish
Lewis hit a free kick froebich
blazing through the wall to the
top corner

dimanche 16 PÂQUES

quiz?

161 Quel club a remporté le plus de fois la Ligue des Champions ?
Le Bayern Munich — le Real Madrid — la Juventus Turin.

162 Quel club français a révélé Sonny Anderson ?
Lyon — Marseille — Monaco.

163 Quel est le seul joueur à avoir remporté le Ballon d'Or trois fois de suite ?
Pelé — Maradona — Platini.

164 Qui est le divin chauve ?
Roberto Carlos — Barthez — Lebœuf.

165 Quel est le surnom des joueurs de Lorient ?
Les Sardines — les Merlus — les Requins.

lundi 17 Saint Anicet

7 ....
....
8 ....
....
9 ....
....
10 ....
....
11 ....
....
12 ....
....
13 ....
....
14 ....
....
15 ....
....
16 ....
....
17 ....
....
18 ....
....
19 ....
....
20 ....
....
21 ....
....

1/2 finale aller

mardi 18 Saint Parfait

7 ....
....
8 ....
....
9 ....
....
10 ....
....
11 ....
....
12 ....
....
13 ....
....
14 ....
....
15 ....
....
16 ....
....
17 ....
....
18 ....
....
19 ....
....
20 ....
....
21 ....
....

mercredi19

Sainte Emma

CAMPBELL SOL

Arsenal — n° 23, né le 18/09/1974

Sulzeer Jeremiah Campbell dit « Sol » est un défenseur d'une puissance monstrueuse. Grand (1,88 mètre), musculeux (88 kg) et rapide, celui qui fait régner l'ordre dans la défense d'Arsenal a été découvert au centre de formation de Tottenham. Après deux saisons d'apprentissage, Sol signe à 18 ans à peine son premier contrat pro avec les Spurs. Il débute en Premier League en 1992 face à Chelsea en remplaçant Nick Barmby et marque son premier but !
Mais c'est seulement la saison suivante 1993/1994 que Campbell obtient le statut de titulaire indiscutable en défense centrale ou en milieu de terrain défensif. Ses tacles, récupérations et relances séduisent Arsène Wenger qui le transfère à Arsenal en 2001. Au sein des Gunners, le natif de Newham va s'épanouir pour devenir l'un des meilleurs défenseurs du monde.

ANNIVERSAIRES
▶ **RIVALDO**
HEINZE

1/2 finale aller

jeudi 20 Sainte Odette

7	
8	
9	
10	
11	
12	
13	
14	
15	
16	
17	
18	
19	
20	
21	

vendredi 21 Saint Ansel

7	
8	
9	
10	
11	
12	
13	
14	
15	
16	
17	
18	
19	
20	
21	

Finale

samedi 22 Saint Alexandre

....

....

....

....

....

....

....

....

....

....

....

....

....

dimanche 23 Saint Georges

Aberrethy V Luncarty

3 - 2

Liam (3)

Aberrethy never got going. Three
individual goals from Liam in ten
minutes eager pressive. Luncarty hit
back with free-kick. Then
six yard box finishing from
them back in game. Aberrethy
have nervous last 15 mins.

MOTM : liam

22/04
ANNIVERSAIRE
KAKA

166 Comment s'appelle le stade
de Guingamp ?
Monloulou — Roudourou
— Doubitchou.

167 Quel est le record du nombre
de titres de champion de France
de suite ?
4 — 5 — 6.

168 Quel joueur marseillais rate son
penalty à Bari, en mai 1991, lors
de la finale de la Coupe des Clubs
Champions ?
Papin — Boli — Amoros

169 Qui fut l'entraîneur des Bleus lors
de la campagne de l'Euro 1992 ?
Domergue — Platini — Houllier.

170 Combien de sélections Zidane
compte-t-il ?
93 — 95 — 103.

lundi24 Saint Fidèle

7 ....

8 ....

9 ....

10 ....

11 ....

12 ....

13 ....

14 ....

15 ....

16 ....

17 ....

18 ....

19 ....

20 ....

21 ....

mardi25 Saint Marc

1/2 finale retour

7 ....

8 ....

9 ....

10 ....

11 ....

12 ....

13 ....

14 ....

15 ....

16 ....

17 ....

18 ....

19 ....

20 ....

21 ....

▶ **ANNIVERSAIRE CRUYFF**

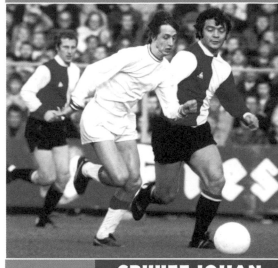

CRUYFF JOHAN
Pays-Bas - joueur de 1964 à 1984

Le talent personnifié. Johan Cruyff restera l'un des joueurs les plus intelligents qui aient foulé les pelouses. Avant-centre, meneur de jeu, joueur de couloir ou défenseur, Cruyff est capable d'occuper tous les postes en cours de match et devient le représentant le plus talentueux de la philosophie de Rinus Michels : le « football total ». Repéré par Michels, qui lui demande de renforcer un physique frêle, Cruyff intègre le groupe professionnel de l'Ajax Amsterdam à 17 ans et décroche le premier de ses neuf titres de champion de Pays-Bas deux saisons plus tard. Leader, gouailleur sur et en dehors du terrain, Cruyff a des convictions qui font de lui un personnage entier, mais controversé. Sa réponse aux critiques se fera sur les pelouses. Après une carrière de joueur truffée de trophées, Cruyff embrasse naturellement la carrière d'entraîneur de l'Ajax, puis de Barcelone (1988-1996).

1/2 finale retour

jeudi 27 Sainte Zita

vendredi 28

7

8

9

10

11

12

13

14

15

16

17

18

19

20

21

7

league

7

8   Abernethy   V   Kinross

9   7   -   2

10   lion (2) shine

     gary chris (2)

11   Andy

12

13

14

15

16

17

18

19

20

21

36ᵉ journée

samedi 29

Sainte Cath.
de Sienne

....
....
] ....
....
₂ ....
₃ ....
₄ ....
₅ ....
₆ ....
₇ ....
₈ ....
₉ ....

dimanche 30

Saint
Robert

Abernethy V Methen

1 — 4

] ....

Iran

(League)

Methen take early lead but
got pegged back half way
through first half. Methven score
regain lead on stroke of half time
Methven score again from corner.
Another goal: seales + 2 mins from
time   MOTM: lewis

quiz? avril

171 Combien de buts Platini a-t-il
inscrit en Bleu ?
31 — 40 — 41.

172 Quel est le nom du stade du
Real Madrid ?
Camp Nou — Ciudad Deportiva
— Santiago Bernabeu.

173 Quel est le montant du plus gros
transfert de tous les temps ?
50 — 75 — 100 millions d'euros.

174 Combien l'Angleterre a-t-elle
remporté de Coupes du Monde ?
0 — 1 — 2.

175 Qui a inscrit le troisième but
en finale de la Coupe du Monde 98 ?
Petit — Deschamps — Desailly.

RÉPONSES :
171 : 41 / **172** : Santiago Bernabeu
173 : 100 millions d'euros / **174** : 1
175 : Petit.

LES GRANDS N

OLYMPIASTADION MÜNCHEN
ENDSPIEL IM POKAL
DER EUROPÄISCHEN MEISTEVEREINE
OLYMP.MARSEILLE
AC MILAN
1 : 0

L'exploit de Marseille

Toute la France du football attendait cela
avec impatience : Marseille remporte la
première Ligue des Champions sur un coup
de tête de Basile Boli. Un exploit qui fait
chavirer le cœur des supporters et donne
au club phocéen une dimension incroyable.

OLYMPIQUE MARSEILLE – MILAN AC, FINALE DE LA LIGUE DES CHAMPIONS, 26 MAI 1993 (STADE OLYMPIQUE, MUNICH)

L'Olympique Marseille écrase tout sur son passage. La saison 1991/92 le couronne d'un quatrième titre consécutif de champion de France, égalant ainsi le record du Saint-Étienne de la grande époque (durant la décennie 1976). Mais, pour cette saison 1992/93, Bernard Tapie a une nouvelle fois chamboulé l'effectif marseillais. Particulièrement échaudé par l'élimination au deuxième tour de la Ligue des Champions face au modeste Sparta Prague l'année précédente, le président olympien a décidé de se doter d'un groupe compétitif sur tous les tableaux. Pour compenser les départs lourds de Papin, Waddle, Mozer, et celui de l'entraîneur Raymond Goethals, il fait appel à Desailly, Barthez, Boksic, Völler et au technicien Jean Fernandez. Mais les résultats en dents de scie de l'équipe phocéenne incitent Tapie à rappeler Goethals sur le banc. Le « sorcier belge » trouve rapidement l'alchimie et redresse la barre. En Ligue des Champions, l'OM arrache un match nul à Ibrox

Park face aux Glasgow Rangers (2-2) qui le rem[...] en confiance. Vainqueur du groupe A de Ligue d[...] Champions, Marseille retrouve en finale le gran[...] Milan AC qui reste sur dix succès consécutifs dans [...] compétition. Renforcé par son revers en finale de [...]

LA FEUILLE DE MATCH
VICTOIRE DE L'OM EN LIGUE DES CHAMPIONS EN 1993

OLYMPIQUE MARSEILLE – Milan AC 1-0 (1-0)
26 mai 1993, Munich
Olympiastadion (64 000 spectateurs)

OM :
Barthez - Angloma (61ᵉ Durand), Desailly, Boli, Di Meco - Eydelie, Sauzée, Deschamps, Abedi Pelé - Boksic, Völler (78ᵉ Thomas).
<u>Entraîneur :</u>
Raymond Goethals.
<u>But :</u> Boli, 44ᵉ.

Milan :
Rossi - Tassotti, Costacurt[...] Baresi, Maldini - Donadoni (54ᵉ Papin), Rijkaard, Albertini, Lenti[...] - Massaro, van Basten (85ᵉ Eranio).
<u>Entraîneur :</u>
Fabio Capello.

arseille infos ^{mai}

mpétition face à l'Étoile
uge Belgrade en 1991,
)M ne pense qu'à la vic-
re. D'ailleurs, près de
000 supporters olym-
ens se déplacent à Munich
ur assister au triomphe
s « Ciels et Blancs ». Mais

début de rencontre
urne à l'avantage des
ueurs de Fabio Capello, qui voient Van Basten,
kaard et Massaro buter sur un excellent Fabien
rthez. L'orage passé, les partenaires de Völler sor-
nt progressivement de leur coquille. Abédi Pelé se
ontre de plus en plus dangereux et se joue de
aldini qui, à la 42e minute, concède un corner. Le
anéen le frappe au premier poteau pour Basile
li, dont le coup de tête puissant expédie le ballon
ns la lucarne de Rossi, incrédule (1-0, 43e). Le Stade
ympique bavarois chavire. Capello tentera bien
lancer l'ex-Marseillais Papin, mais sans succès.
)M conserve son résultat et offre au football fran-
s sa plus prestigieuse victoire.

À Munich, Raymond Goethals
participe à sa 7e finale européenne
après avoir mené Anderlecht,
le Standard Liège et l'OM sur
la dernière marche de la scène
continentale. « Raymond
La Science » est décédé le
6 décembre 2004.

Alors que Jean-Pierre Papin avait
participé à la finale de Coupe des
Clubs Champions en 1990, il avait
décidé de partir au Milan AC pour
étoffer son palmarès européen
vierge. Se retrouvant en face de
ses ex-coéquipiers, « JPP » échoua
une nouvelle fois dans sa quête
de couronne continentale.

En début de saison, l'OM était
particulièrement mal parti et au
bord de la crise. Bernard Tapie
décide alors de remplacer Jean
Fernandez par le « sorcier belge »
Raymond Goethals qui mènera
l'équipe phocéenne au triomphe.

1/2 finale

lundi 1 FÊTE DU TRAVAIL

7	
8	
9	
10	
11	
12	
13	
14	
15	
16	
17	
18	
19	
20	
21	

mardi 2 Saint Boris

7   League

8   Abernethy   V   Lethem   W

9   12   —   1

10   Steve, Liam (4)
chris (2) Andy (2)

11   gary (2)

12

13

14

15

16

17

18

19

20

21

ANNIVERSAIRE BECKHAM

1/2 finale

mercredi 3

Saints Philippe, Jacques

DROGBA DIDIER

Chelsea — n° 15, né le 11/03/1978

Attaquant moderne par excellence, Didier Drogba sait tout faire. Puissant, aérien et technique, l'Ivoirien a gravi les échelons pour devenir l'un des attaquants les plus redoutés. Après un apprentissage au Mans, Drogba a percé à l'EA Guingamp (17 buts en 2003). Suffisant pour lui confier les clés de l'attaque marseillaise. Avec l'OM, il est intenable aussi bien en championnat — 18 buts et un titre de meilleur joueur de Ligue 1 (2004) — qu'en Coupe d'Europe. Drogba conduit les Olympiens en finale de l'UEFA avec ses 6 buts ! Des exploits qui poussent Chelsea à débourser 37 millions d'euros pour l'enrôler. Tout en plaçant sa sélection en bonne position pour la qualification au Mondial 2006, l'attaquant des Éléphants décroche son premier trophée avec les Blues (Coupe de la Ligue 2005).

7

League

Methven V Abernethy

8

1 - 1   Liam

9

10 Abernethy dominated first half completely. Get lucky to a deflected goal. Methven pile on

11 pressure early in second half but Abernethy stand firm. Liam

12 has a chance to kill the game but covering full back blocks

13 shot. Kini penalised for bouncing ball twice. Indirect free-kick

14 sent wide. long ball over the top Kini misjudges bounce

15 and Methven striker equalizes. Free kick in a good area

16 blazed over the bar by Lewis. Chris misses chance which flashes

17 across face of goal.

18 MOTM : Liam

19

20

21

176
Qui est surnommé « Éric le King » ?
Di Meco — Cantona — Carrière.

177
Quelle est la nationalité de
Sir Alex Ferguson ?
Écossaise — anglaise — irlandaise.

178
Qui a inscrit « la main
de Dieu » ?
Maradona — Pelé — Platini.

179
Quel est le seul club français
à avoir remporté la Coupe
des Coupes ?
Monaco — Marseille — Paris.

180
Quel club évolue dans le stade
de la Bombonera ?
River Plate — Boca Juniors
— Sao Paulo.

dimanche7
Sainte Gisèle

Leatham T. V Abernethy

1 - 4 (AET)

Shane (2) Liam, Stirling

(memorial cup)

Letham took lead
Abernethy equalized. Andy
makes good run to set up
Shane. Q wins into extra time
shane gets infront of defender
to win penalty. - slots it home
5 mins into 2nd half Liam
Scores from sidelines! Stirling plays
a pass and dosent stop to finish off a good run and

MOTM: Andy
Letham T.

lundi 8
ANNIv.45
F.J. d'Arc

7

8

9

10

11

12

13

14

15

16

17

18

19

20

21

mardi 9
Saint
Pacôme

7 league

8 Guildtown V Abernethy

9 1 - 12

10 shane (2) chris (
grant (2) gary
11 hayden

12

13

14

15

16

17

18

19

20

21

FIGO LUIS

Real Madrid — n° 10, né le 04/11/1972

Dribbleur d'exception, Luis Figo est la grande idole du football portugais. En club, le prodige du Sporting Lisbonne a tout gagné : de la Coupe des Coupes avec le FC Barcelone de Ronaldo en 1997 contre le PSG, à la Ligue des Champions avec le Real Madrid (2002), en passant par la Coupe Intercontinentale (2002), la Liga (1998, 1999 avec Barcelone, 2001 et 2003 avec Madrid) et la Coupe d'Espagne (1997, 1998). Une grande carrière couronnée par le Ballon d'Or en 2000, l'année de son transfert controversé du Barça au Real pour 65 millions d'euros. En équipe nationale, le « Galactique » a tout de suite brillé avec la génération dorée, en remportant le Championnat du Monde Espoirs (1991). Demi-finaliste de l'Euro 2000, le meilleur joueur FIFA 2001 a ensuite mené sa sélection jusqu'en finale de l'Euro portugais (2004).

jeudi 11 Sainte Estelle

7

8

9

10

11

12

13

14

15

16

17

18

19

20

21

vendredi 12 Sai Ac

7

8

9

10

11

12

13

14

15

16

17

18

19

20

21

38ᵉ Journée

samedi 13

Sainte Rolande

---

dimanche 14 PENTECÔTE

Memorial cup

Scone juniors pitch

Final (N)

Abernethy ∀ Methven

3 - 1

Abernethy suffered a blow when skipper Lewis came off with a back injury. However Liam scored the opener with a carbon copy to his goal the previous week at Leslie. Methven equalized with a towering header from defender. Methven put on pressure but Liam hit on the break with another replica goal. Liam finished it all off when a attempted to lift the ball over the defender that was but was landed down the row onto

181

Qui n'est pas Olympique ?
Lyon — <u>Paris</u> — Marseille.

182

Quel est le dernier club français
à avoir réalisé un doublé
Coupe-Championnat ?
Marseille — Lyon — <u>Auxerre</u>.

183

Quel club a remporté le
championnat de France en 1993 ?
Marseille — Paris
— <u>le titre n'a pas été décerné</u>.

184

Pendant combien de matches
consécutifs Gabriele Batistuta a-t-il
marqué au moins un but ?
6 — 8 — <u>11</u>.

185

En Italie, quelle équipe a fait
le plus d'allers-retours entre les
Séries A et B ?
Sampdoria Gênes
— Atalanta Bergame — <u>Bari</u>.

RÉPONSES :
181 : Paris / **182 :** Auxerre
183 : le titre n'a pas été décerné / **184 :** 11
185 : Bari.

MOTM : Jack

lundi 15 Sainte Denise

7 ....
....
8 ....
....
9 ....
....
10 ....
....
11 ....
....
12 ....
....
13 ....
....
14 ....
....
15 ....
....
16 ....
....
17 ....
....
18 ....
....
19 ....
....
20 ....
....
21 ....
....

mardi 16 Saint Honoré

7 ....
....
8 ....
....
9 ....
....
10 ....
....
11 ....
....
12 ....
....
13 ....
....
14 ....
....
15 ....
....
16 ....
....
17 ....
....
18 ....
....
19 ....
....
20 ....
....
21 ....
....

Finale

mercredi17 Saint Pascal

HENRY THIERRY
Arsenal – n° 9, né le 22/09/1976

Depuis ses premiers pas à Monaco et un titre de champion de France 1997, Thierry Henry ne cesse de faire trembler les filets. Culminant depuis quatre saisons à plus de 30 buts, Titi fait partie du cercle fermé des grands canonniers européens ! Une efficacité redoutable qui lui a permis de briller avec les Bleus lors du Mondial 1998 et de l'Euro 2000. Henry a ensuite exporté son talent à Arsenal après un bref passage à la Juventus. Chez les Gunners, le meilleur buteur européen 2004 a fait parler la poudre ! Repositionné attaquant de pointe, le Français explose et profite de sa vitesse et d'un sens aigu du but pour décrocher deux titres de champion d'Angleterre (2002 et 2004) et deux Cups (2002 et 2003), raflant au passage deux titres de meilleur buteur anglais (2002 et 2003).

jeudi 18 Saint Éric

7

8

9

10

11

12

13

14

15

16

17

18

19

20

21

vendredi 19 Sa Yv

7

8

9

10

11

12

13

14

15

16

17

18

19

20

21

----

quiz? mai

186 Quelle équipe détient, avec 12 réalisations, le record de buts marqués en Coupe des Clubs Champions dans un seul match ?
Feyenoord — Liverpool — Barcelone.

187 Le FC Liverpool et Everton, les deux clubs de Liverpool, ont-ils déjà atteint la même année une finale de Coupe d'Europe ?
Oui — non.

188 Quel est le seul pays dont les clubs ont remporté les trois Coupes d'Europe la même saison en 1989/90 ?
Espagne — Italie — Allemagne.

189 Combien de buts Just Fontaine a-t-il inscrits en Suède en 1958 ?
10 — 11 — 13.

190 Quel club a participé le plus de fois consécutives à une Coupe d'Europe, série encore en cours ? Benfica Lisbonne — Barcelone — Ajax Amsterdam.

RÉPONSES !
186 : Feyenoord / **187** : Oui / **188** : Italie
189 : 13 / **190** : Barcelone.

lundi 22 Saint Émile

7 ....
....
8 ....
....
9 ....
....
10 ....
....
11 ....
....
12 ....
....
13 ....
....
14 ....
....
15 ....
....
16 ....
....
17 ....
....
18 ....
....
19 ....
....
20 ....
....
21 ....
....

mardi 23 Saint Didier

7 ....
....
8 ....
....
9 ....
....
10 ....
....
11 ....
....
12 ....
....
13 ....
....
14 ....
....
15 ....
....
16 ....
....
17 ....
....
18 ....
....
19 ....
....
20 ....
....
21 ....
....

mercredi24 Saint Donatien

MÜLLER GERD
Allemagne — Joueur de 1955 à 1982

Son allure suscitait les moqueries, mais son efficacité imposait le respect. Râblé, le torse rond et le tour de cuisse mesuré à 64 cm, Gerd Müller n'a pas le physique d'un footballeur et doit convaincre Zlatko Cajkovski, l'entraîneur du Bayern Munich. Il patientera dix matches sur le banc avant d'entrer contre Fribourg et d'inscrire deux buts. Les premiers d'une longue série.
« Le Bombardier » va former avec Franz Beckenbauer et Sepp Maier la colonne vertébrale d'un Bayern performant qui remonte en Bundesliga et enchaîne les titres (quadruple champion national et triple vainqueur de la Coupe des Clubs champions) en même temps que Gerd enfile les buts (365 buts en 427 matches de championnat). Sur son étagère à trophées, trônent un Ballon d'Or (1970), un titre à l'Euro 1972 et une Coupe du Monde 1974.

jeudi 25 ASCENSION

7 ....
....
8 ....
....
9 ....
....
10 ....
....
11 ....
....
12 ....
....
13 ....
....
14 ....
....
15 ....
....
16 ....
....
17 ....
....
18 ....
....
19 ....
....
20 ....
....
21 ....
....

vendredi 26 Saint Béren

7 ....
....
8 ....
....
9 ....
....
10 ....
....
11 ....
....
12 ....
....
13 ....
....
14 ....
....
15 ....
....
16 ....
....
17 ....
....
18 ....
....
19 ....
....
20 ....
....
21 ....
....

samedi 27
Saint Augustin de C.

8
9
0
1
2
3
4
5
6
7
8
9

dimanche 28
FÊTE DES MÈRES

0
1
2
3
4
5
6
7
8
9

quiz? mai

191 Quelle équipe française a éliminé Barcelone en Coupe des Coupes après avoir perdu 2-4 à domicile ?
Saint-Étienne — Bordeaux — Metz.

192 Quel club détient le record de 56 matches consécutifs sans défaite à domicile en Coupe d'Europe ?
Manchester United — Reims — Bayern Munich.

193 Quel est le premier joueur à avoir reçu le trophée de Meilleur joueur FIFA ?
Platini — Matthäus — Klinsmann.

194 Avec quel club Vahid Halilhodzic a-t-il été élu entraîneur de l'année en France ?
Rennes — Paris — Lille.

195 Quel est le club le plus titré d'Italie avec un palmarès de 40 Coupes nationales, championnats et Coupes d'Europe remportées ?
Juventus Turin — Inter Milan — Milan AC.

coupe du mo

PROGRAMME

	(A)
_____	
_____	
_____	
_____	
LES MATCHES	
JI [............... /	
.... /	
J2 [............... /	
.... /	
J3 [............... /	
.... /	
Les qualifiés	
.... /	

	(B)
_____	
_____	
_____	
_____	
LES MATCHES	
JI [............... /	
.... /	
J2 [............... /	
.... /	
J3 [............... /	
.... /	
Les qualifiés	
.... /	

	(C)
_____	
_____	
_____	
_____	
LES MATCHES	
JI [............... /	
.... /	
J2 [............... /	
.... /	
J3 [............... /	
.... /	
Les qualifiés	
.... /	

_____	
_____	
_____	
_____	
LES MATCHES	
JI [............... /	
.... /	
J2 [............... /	
.... /	
J3 [............... /	
.... /	
Les qualifiés	
.... /	

Ville	09.06.06 Vendredi	10.06.06 Samedi	11.06.06 Dimanche	12.06.06 Lundi	13.06.06 Mardi	14.06.06 Mercredi
Berlin				Match 11 F1 - F2 21.00 h		
Dortmund		Match 4 B3 - B4 18.00 h				Match 17 A1 - A3 21.00 h
Frankfurt		Match 3 B1 - B2 15.00 h			Match 14 C3 - C4 21.00 h	
Gelsenkirchen	Match 2 A3 - A4 21.00 h			Match 10 E3 - E4 18.00 h		
Hambourg		Match 5 C1 - C2 21.00 h				
Hanover				Match 9 E1 - E2 15.00 h		
Kaiserslautern					Match 12 F3 - F4 21.00 h	
Cologne			Match 8 D3 - D4 21.00 h			
Leipzig			Match 6 C3 - C4 15.00 h			Match 15 H1 - H2 15.00 h
Munich	Match 1 A1 - A2 18.00 h					Match 16 H3 - H4 18.00 h
Nuremberg			Match 7 D1 - D2 18.00 h			
Stuttgart					Match 13 G1 - G2 18.00 h	

nde 2006

E

LES MATCHES

.... / ....
.... / ....
.... / ....
Les qualifiés
.... / ....

F

LES MATCHES

J1 [..................... / ....
.... / ....
J2 [..................... / ....
.... / ....
J3 [..................... / ....
.... / ....
Les qualifiés
.... / ....

G

LES MATCHES

J1 [..................... / ....
.... / ....
J2 [..................... / ....
.... / ....
J3 [..................... / ....
.... / ....
Les qualifiés
.... / ....

H

LES MATCHES

J1 [..................... / ....
.... / ....
J2 [..................... / ....
.... / ....
J3 [..................... / ....
.... / ....
Les qualifiés
.... / ....

16.06.06 Vendredi	17.06.06 Samedi	18.06.06 Dimanche	19.06.06 Lundi	20.06.06 Mardi	21.06.06 Mercredi	22.06.06 Jeudi	23.06.06 Vendredi
				Match 33 A4 - A1 16.00 h			Match 48 H2 - H3 21.00 h
			Match 30 G4 - G2 15.00 h			Match 43 F4 - F1 21.00 h	
	Match 24 D4 - D2 15.00 h				Match 37 F4 - F1 16.00 h		
Match 21 C1 - C3 15.00 h					Match 39 D4 - D1 21.00 h		
			Match 32 H4 - H2 21.00 h			Match 41 E4 - E1 16.00 h	
Match 23 D1 - D3 21.00 h				Match 34 A2 - A3 16.00 h			Match 46 G2 - G3 16.00 h
	Match 25 E1 - E3 18.00 h			Match 36 B2 - B3 21.00 h			Match 47 H4 - H1 21.00 h
	Match 26 E4 - E2 21.00 h			Match 35 B4 - B1 21.00 h			Match 45 G4 - G1 16.00 h
		Match 29 G1 - G3 21.00 h			Match 40 D2 - D3 21.00 h		
		Match 27 F1 - F3 15.00 h			Match 38 C2 - C3 16.00 h		
		Match 28 F4 - F2 18.00 h				Match 42 E2 - E3 16.00 h	
Match 22 C4 - C2 18.00 h			Match 31 H1 - H3 18.00 h			Match 44 F2 - F3 21.00 h	

coupe du mo

TABLEAU FINAL

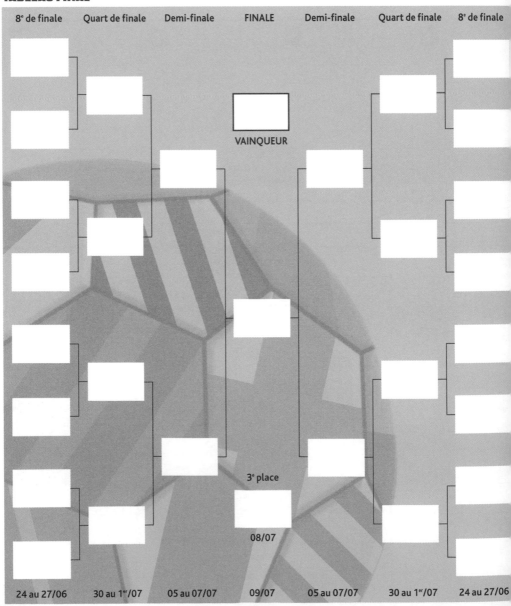

8ᵉ de finale	Quart de finale	Demi-finale	FINALE	Demi-finale	Quart de finale	8ᵉ de finale

VAINQUEUR

3ᵉ place

08/07

| 24 au 27/06 | 30 au 1ᵉʳ/07 | 05 au 07/07 | 09/07 | 05 au 07/07 | 30 au 1ᵉʳ/07 | 24 au 27/06 |

PALMARÈS

Année	vainqueur	finaliste	score
2006	_____	_____	--
2002	Brésil	Allemagne	2-0
1998	France	Brésil	3-0
1994	Brésil	Italie	0-0, 3 tab à 2
1990	Allemagne	Argentine	1-0
1986	Argentine	Allemagne	2-0
1982	Italie	Allemagne	3-1
1978	Argentine	Pays-Bas	3-1
1974	Allemagne	Pays-Bas	2-1
1970	Brésil	Italie	4-1
1966	Angleterre	Allemagne	4-2
1962	Brésil	Tchécoslovaquie	3-1
1958	Brésil	Suède	5-2
1954	Allemagne	Hongrie	3-2
1950	Uruguay	Brésil	2-1
1938	Italie	Hongrie	4-2
1934	Italie	Tchécoslovaquie	2-1
1930	Uruguay	Argentine	4-2

lundi 29 Saint Aymar

7

8

9

10

11

12

13

14

15

16

17

18

19

20

21

mardi 30 Saint Ferdinand

7

8

9

10

11

12

13

14

15

16

17

18

19

20

21

mercredi 31 VISITATION

CAFU

Milan AC – n° 2 , né le 7/06/1970

Sans aucun doute le meilleur arrière droit du monde. Découvert à Sao Paulo, où il glane deux titres de champion du Brésil et deux Copas Libertadores, Cafu pose ses valises à Saragosse une seule saison. Il revient au Brésil à Palmeiras avant de céder aux sirènes de l'AS Roma, où il ne laisse que de bons souvenirs entre 1997 et 2003. Surnommé « Il Pendolino » (le TGV), le Brésilien a révolutionné le poste d'arrière latéral (droit). Tout en s'acquittant parfaitement et avec classe de ses taches défensives, il se porte très rapidement vers l'attaque en déboulant dans son couloir et distillant des centres avec efficacité. Expérimenté, le Brésilien a remporté deux Coupes du Monde (1994, 2002) et a perdu la finale en 1998, devenant ainsi le seul joueur à avoir disputé trois finales consécutives dans cette compétition.

jeudi 1 Saint Justin

7

8

9

10

11

12

13

14

15

16

17

18

19

20

21

vendredi 2 Sainte Blandi

7

8

9

10

11

12

13

14

15

16

17

18

19

20

21

samedi 3 Saint Kévin

....

....

....

....

....

....

....

....

....

....

....

dimanche 4 PENTECÔTE

....

....

....

....

....

....

....

....

....

....

....

....

quiz? juin

196
Qui a été élu meilleur espoir
du football français en 2004 ?
Evra — Ribéry — Nasri.

197
Quel joueur encore en activité
détient le record de sélections
nationales avec 172 caps ?
Claudio Suarèz — Cafu
— Paolo Maldini.

198
Quel joueur a marqué le plus de buts
pour son pays en compétitions
internationales (105) ?
Pelé — Puskas — Daei.

199
Quel joueur français a joué le plus de
rencontres de Coupe d'Europe ?
Zidane — Deschamps — Barthez.

200
Quel est le joueur le plus vieux à
avoir participé à une finale de Coupe
d'Europe (37 ans) ?
Zola — Baresi — Vierchowod.

lundi 5 Saint Igor

7 ....
....
8 ....
....
9 ....
....
10 ....
....
11 ....
....
12 ....
....
13 ....
....
14 ....
....
15 ....
....
16 ....
....
17 ....
....
18 ....
....
19 ....
....
20 ....
....
21 ....
....

mardi 6 Saint Norbert

7 ....
....
8 ....
....
9 ....
....
10 ....
....
11 ....
....
12 ....
....
13 ....
....
14 ....
....
15 ....
....
16 ....
....
17 ....
....
18 ....
....
19 ....
....
20 ....
....
21 ....
....

mercredi7

KAHN OLIVER

Bayern Munich – n° 1, né le 15/06/1969

« Ne jamais abandonner », telle est la devise d'Oliver Kahn. Grand, puissant et pourvu d'excellents réflexes sur sa ligne, l'emblématique gardien du Bayern se distingue surtout par son mental indestructible. Son incapacité à renoncer l'a parfois mené à tancer coéquipiers et adversaires, sans jamais avoir peur du contact. Détesté ou adulé, « Ollie » ne laisse personne indifférent et force le respect. Ce sacré personnage, garant de la défense munichoise, a quasiment tout remporté : champion d'Europe avec la Mannschaft en 1996, plusieurs fois champion d'Allemagne, vainqueur de la Coupe nationale, de la Ligue des Champions et de la Coupe UEFA. Seule la place de finaliste de la Coupe du Monde 2002 pourrait laisser des regrets à celui qui a été élu meilleur gardien du monde en 1999, 2001 et 2002.

ANNIVERSAIRE
CAFU

jeudi 8 Saint Médard

7 ....
....
....

8 ....
....

9 ....
....

10 ....
....

11 ....
....

12 ....
....

13 ....
....

14 ....
....

15 ....
....

16 ....
....

17 ....
....

18 ....
....

19 ....
....

20 ....
....

21 ....
....

vendredi 9 Sainte Diane

7 ....
....
....

8 ....
....

9 ....
....

10 ....
....

11 ....
....

12 ....
....

13 ....
....

14 ....
....

15 ....
....

16 ....
....

17 ....
....

18 ....
....

19 ....
....

20 ....
....

21 ....
....

samedi 10

dimanche 11

quiz? juin

201 Quel est l'entraîneur le plus vieux à avoir remporté une Coupe d'Europe (71 ans) ?
Goethals — Trapattoni — Ferguson.

202 À quel âge Dennis Bergkamp remporte-t-il sa première Coupe des Coupes avec l'Ajax Amsterdam ?
16 ans — 17 ans — 18 ans.

203 Comment s'appelait la Coupe UEFA jusqu'en 1971 ?
Coupe des Villes de Foires
— Coupe des Vice-champions
— Coupe des sous-Coupes.

204 Qu'est-ce qui a permis au Bayern Munich de l'emporter face à Valence en finale de Ligue des Champions 2001 ?
Trois tirs au but stoppés par Oliver Kahn — l'expulsion de Zahovic — des crampes pour les joueurs de Valence.

205 En quelle année l'Ajax Amsterdam a-t-il remporté sa dernière Ligue des Champions ?
1973 — 1988 — 1995.

RÉPONSES !
201 : Goethals / **202** : 17 ans
203 : Coupe des Villes de Foires
204 : Trois tirs au but stoppés par Oliver Kahn
205 : 1995.

lundi 12 Saint Guy

7 ....

....

8 ....

....

9 ....

....

10 ....

....

11 ....

....

12 ....

....

13 ....

....

14 ....

....

15 ....

....

16 ....

....

17 ....

....

18 ....

....

19 ....

....

20 ....

....

21 ....

....

mardi 13 Saint Antoine de Padoue

7 ....

....

8 ....

....

9 ....

....

10 ....

....

11 ....

....

12 ....

....

13 ....

....

14 ....

....

15 ....

....

16 ....

....

17 ....

....

18 ....

....

19 ....

....

20 ....

....

21 ....

....

mercredi14 Saint Élisée

BERGKAMP DENNIS

Arsenal – n° 10, né le 18/06/1969

Élégant, altruiste et efficace... Ce sont les qualificatifs qui cernent le mieux Dennis Berkamp. Ce fan de Glenn Hoddle a pourtant connu quelques difficultés à s'imposer en début de carrière ; son physique frêle n'était pas jugé assez aiguisé pour répondre aux joutes professionnelles. Mais, lorsqu'il reprit en main l'équipe de l'Ajax Amsterdam, Johan Cruyff détecta ce joyau et l'intégra en équipe première à 17 ans. Bergkamp y passera sept saisons. Son départ pour l'Inter Milan en 1996 déclencha une polémique, Cruyff jugeant que le style défensif milanais briderait son tempérament offensif. Comme souvent, le technicien batave avait raison et Bergkamp décida de migrer vers Arsenal. Raillé à ses débuts, il s'impose rapidement aux côtés de Ian Wright sur le front offensif des Gunners. Capable de coups de génie, le « Maestro » est, à 35 ans, l'un des pions essentiels du dispositif d'Arsène Wenger.

jeudi 15 Sainte Germaine

7
8
9
10
11
12
13
14
15
16
17
18
19
20
21

vendredi 16 Saint Régis

7
8
9
10
11
12
13
14
15
16
17
18
19
20
21

ANNIVERSAIRE KAHN

....

....

....

....

....

....

....

....

....

....

....

....

....

....

....

....

....

....

....

....

....

....

ANNIVERSAIRE
BERGKAMP

quiz? juin

206
Quelle équipe a remporté en 1999 la dernière Coupe des Coupes avant sa suppression ?
Lazio Rome — Real Majorque — Chelsea.

207
Quelle était la particularité de l'équipe de Londres qui a perdu en finale de la première Coupe des Villes de Foires en 1958 ?
C'était une sélection des joueurs de tous les clubs londoniens — elle a joué à 9 pendant les deux matches — les maillots n'avaient pas de numéros, mais des lettres.

208
En quelle année est née la Coupe des Coupes ?
1958 — 1960 — 1962.

209
Quel joueur a marqué le plus de buts en Coupes d'Europe ?
Jean-Pierre Papin — Gerd Müller — Eusebio.

210
Quelle est, selon le coefficient calculé par l'UEFA, l'équipe française la plus performante en Coupe d'Europe depuis la création de celle-ci ?
Saint-Étienne — Marseille — Bordeaux.

RÉPONSES :
206 : Lazio Rome / **207 :** C'était une sélection des joueurs de tous les clubs londoniens
208 : 1960 / **209 :** Gerd Müller
210 : Bordeaux.

lundi 19 Saint Romuald

7

8

9

10

11

12

13

14

15

16

17

18

19

20

21

mardi 20 Saint Sylvère

7

8

9

10

11

12

13

14

15

16

17

18

19

20

21

RIQUELME JUAN ROMAN

Villareal – n° 8, né le 24/06/1978

Surnommé « le Petit Maradona », Juan Roman Riquelme est un milieu offensif gauche particulièrement redouté pour son incomparable technique balle au pied. Comme son illustre prédécesseur Maradona, il débute sa carrière aux Argentinos Juniors en 1995, avant de rejoindre son mentor à Boca Juniors. Adulé à la Bombonera, le légendaire stade de Buenos Aires, « Romy » porte le club à bout de bras et l'emmène au triomphe en Copa Libertadores (2000 et 2001) et en Coupe Intercontinentale (2000) face au Real Madrid. Remarqué par les grosses écuries européenne, Riquelme choisit de s'exiler à Barcelone, toujours comme Maradona. Mais des problèmes extrasportifs vont contrarier son arrivée en Catalogne. Il y passera une saison blanche 2002/03 avant de retrouver la confiance et le chemin des filets à Villareal. Depuis, l'Argentin sévit sur toutes les pelouses européennes.

▶ ANNIVERSAIRE
PLATINI

jeudi 22 Saint Alban

7

8

9

10

11

12

13

14

15

16

17

18

19

20

21

vendredi 23 Sainte Audrey

7

8

9

10

11

12

13

14

15

16

17

18

19

20

21

ANNIVERSAIRES
ZIDANE
VIEIRA

samedi 24 ^{Saint Jean-Baptiste}

....

....

....

....

....

....

....

....

....

....

dimanche 25 ^{Sainte Éléonore}

....

....

....

....

....

....

....

....

....

....

....

....

....

24/06
ANNIVERSAIRE
RIQUELME

quiz? ^{juin}

211
Pour son troisième match européen seulement, Raul s'est illustré :
En marquant un triplé — en se faisant expulser — en fêtant son but dans les tribunes.

212
Contre quelle équipe le Marseillais Jean-Pierre Papin marque-t-il son premier but européen en Coupe UEFA, en 1985 ?
Boavista — Liverpool — Anderlecht.

213
Quel joueur italien a marqué le plus de buts en Coupes d'Europe ?
Filippo Inzaghi — Alessandro Altobelli — Gianluca Vialli.

214
Quelle formation détient le record d'invincibilité (20 matches consécutifs sans défaite) en Coupe d'Europe ?
Juventus Turin — Manchester United — Ajax Amsterdam.

215
Quelle nation a remporté la Coupe des Confédérations en 2001 ?
L'Argentine — La France — L'Allemagne

lundi 26 Saint Anthelme

7 ....
....
8 ....
....
9 ....
....
10 ....
....
11 ....
....
12 ....
....
13 ....
....
14 ....
....
15 ....
....
16 ....
....
17 ....
....
18 ....
....
19 ....
....
20 ....
....
21 ....
....

mardi 27 Saint Fernand

7 ....
....
8 ....
....
9 ....
....
10 ....
....
11 ....
....
12 ....
....
13 ....
....
14 ....
....
15 ....
....
16 ....
....
17 ....
....
18 ....
....
19 ....
....
20 ....
....
21 ....
....

ANNIVERSAIRE
MALDINI

PLATINI MICHEL

France - joueur de 1966 à 1987

Dans l'histoire du football français, Raymond Kopa et Just Fontaine ont occupé une place prépondérante. Mais Michel Platini évolue à un niveau de popularité jamais atteint par ses prédécesseurs. Le jeune meneur de jeu talentueux de l'AS Nancy Lorraine devient une véritable star après son transfert à Saint-Étienne en 1979. Le Vert y décrochera son premier titre de champion de France en 1981, avant de tenter la grande aventure l'année suivante à la Juventus Turin. Rayonnant sur le Calcio, « Platoche » deviendra le seul joueur au monde à avoir remporté trois titres de « capocanoniere » (meilleur buteur) et trois Ballons d'Or consécutifs (de 1983 à 1985). Consacré champion d'Europe en 1984 avec la France, Platini atteint son heure de gloire. Mais l'année suivante marquera durement l'icône française avec le drame du Heysel, où 39 spectateurs périront, écrasés contre les grilles du stade bruxellois.

jeudi 29 Saints Pierre, Paul

7

8

9

10

11

12

13

14

15

16

17

18

19

20

21

vendredi 30 Sain Mar

7

8

9

10

11

12

13

14

15

16

17

18

19

20

21

samedi 1

----

dimanche 2
Saint Martinien

**01/07
ANNIVERSAIRE
VAN NISTELROOY**

juin - juil
QUIZ?

216
En quelle année l'Algérie a-t-elle gagné
la Coupe d'Afrique des Nations ?
1980 — 1986 — 1990.

217
Pour quel club Jérémie Brechet a-t-il
quitté Lyon en 2003 ?
Inter Milan — Werder Brême
— FC Valence.

218
Où Sébastien Frey, le gardien de
Parme a-t-il été formé ?
Cannes — Paris — Vérone.

219
Dans combien de clubs professionnels
Youri Djorkaeff a-t-il joué ?
4 — 8 — 12.

220
Dans quel club mythique Julien Escudé
a-t-il été transféré en 2003 ?
Ajax Amsterdam — Manchester United
—Juventus Turin.

RÉPONSES:
216 : 1990 / 217 : Inter Milan
218 : Cannes / 219 : 8
220 : Ajax Amsterdam.

La razzia anglaise

Rarement un pays aura aussi largement dominé l'Europe du football. Ce n'est pas un club, mais trois qui raflèrent la quasi-totalité des trophées continentaux entre les décennies 70 et 80. Un âge d'or encore inégalé.

La razzia angla

LA FEUILLE DE MATCH
LA RAZZIA ANGLAISE EN COUPE DES CHAMPION
DE 1977 À 1982

(succès de Liverpool, Nottingham Forest et Aston Villa)

Liverpool :
Clemence – Neal, Smith, E. Hughes, Jones – Case,
McDermott, R. Kennedy – Keegan, Heighway, Callaghan,
Dalglish, Fairclough, Souness.
Entraîneur : Bob Paisley.

Nottingham Forest :
Shilton – V. Andersen, Lloyd, Burns, Dark – McGovern,
Francis, Bowyer, Mills – Birtles, Woodcock, Robertson.
Entraîneur : Brian Clough.

Aston Villa :
Rimmer, Spink – Swain, McNaught, Evans, G.Williams –
Mortimer, Cowans, D.Bremner – Withe, Shaw, Morley.
Entraîneur : Tony Barton.

COUPE DES CHAMPIONS SUCCÈS DE LIVERPOOL, NOTTINGHAM FOREST ET ASTON VILLA DE 1977 À 1982

Inventeurs du football, les Anglais ont pourtant dû attendre 1968 pour voir l'un de leurs clubs représentants remporter la prestigieuse Coupe d'Europe des Clubs Champions. Le grand Manchester de George Best et de Bobby Charlton dispose en effet du Benfica Lisbonne de Eusebio dans le légendaire stade de Wembley (4-1). Pour retrouver d'autres succès continentaux des clubs anglais, il faut se tourner vers la Coupe UEFA de 1968 à 1973 avec les victoires de Leeds, Newcastle, Arsenal, Tottenham et Liverpool. À la fin des années 1960, l'Angleterre surfe sur la vague d'euphorie qui suit sa victoire en Coupe du Monde 1966 et produit des joueurs d'exception, comme Robson, Charlton, Best, Graham, Toshack, Dalglish ou Keegan. Néanmoins, les clubs anglais, au jeu si particulier, se heurtent aux cadors continentaux,

dont l'assise financière permet de recruter les meilleu joueurs étrangers. Mais Liverpool, fort de son expérien en Coupe UEFA, entame sa campagne européen 1976 avec ambition. Développant un jeu rugueux fondé sur de longs ballons en profondeur, le Liverpo

de Paisley créé
une nouvelle
donne tactique :
le « kick and rush »,
littéralement
« frappe et court ».
Le principe repose
sur des défenseurs
intransigeants qui
ne s'embarrassent
pas d'une relance
précise et frap-
pent le ballon le
plus fort possible

our faire remon-
r rapidement
quipe et presser
s adversaires.
e système de
u requiert des
ualités physiques
ceptionnelles et
s attaquants

es techniques, capables de faire la différence à la
oindre occasion. Les « Reds » imposent leur style à
urope entière, et surtout à Mönchengladbach en finale
e la Coupe d'Europe des Clubs champions (3-1), devant
0 000 Liverpudliens massés au stade olympique de
ome. Les partenaires de McDermott récidivent la sai-
n suivante, aux dépens de Bruges, cette fois (1-0) et
uvrent définitivement la porte du succès aux clubs
nglais. Le Nottingham Forest de Peter Shilton s'y
gouffre par deux fois, suivi de Liverpool en 1981 puis
Aston Villa en 1982. Le football des clubs d'outre-
anche règne alors sans partage sur l'Europe.

La razzia européenne des clubs anglais a commencé par la Coupe UEFA. En effet, Leeds (1968 et 1971), Newcastle (1969), Arsenal (1970), Tottenham (1972) et Liverpool (1973) se sont imposés successivement dans cette compétition.

En 1981, Souness (Liverpool) est élu co-meilleur buteur de la Coupe des Clubs Champions avec Rummenige (Bayern). Les deux attaquants comptent six réalisations.

À Wembley, en 1978, Liverpool domine Bruges en finale de la Coupe des Clubs Champions devant près de 92 000 spectateurs.

Déjà victorieux de Bruges en finale de la Coupe UEFA en 1976, les « Reds » de Liverpool s'imposent à nouveau deux années plus tard en finale de la Coupe des Clubs Champions face à la formation de Happel.

lundi3 Saint Thomas

7

8

9

10

11

12

13

14

15

16

17

18

19

20

21

mardi4 Saint Florent

7

8

9

10

11

12

13

14

15

16

17

18

19

20

21

 **ANNIVERSAIRE DI STEFANO**

mercredi5

MALDINI PAOLO

Milan AC – n° 3 , né le 26/06/1968

Né à Milan, formé à Milan et star à Milan, Paolo Maldini restera fidèle aux Rossoneri jusqu'au terme de sa carrière programmée en 2006, après vingt-trois saisons de bons et loyaux services. Le plus célèbre des défenseurs italiens est le véritable baromètre défensif du Milan AC et de la Squadra Azzurra, l'équipe nationale italienne. Alors que son physique de top-model masculin et les sollicitations inhérentes auraient pu le détourner de sa route, Maldini est resté concentré sur son jeu, renforçant ainsi sa crédibilité et son professionnalisme. Témoin de sa qualité, son palmarès s'apparente à un véritable annuaire téléphonique, avec entre autres quatre victoires en C1, quatre succès en Super Coupe d'Europe, deux victoires en Coupe Intercontinentale et sept titres de champion d'Italie !

jeudi 6 Sainte Mariette

7

8

9

10

11

12

13

14

15

16

17

18

19

20

21

vendredi 7 Saint Raoul

7

8

9

10

11

12

13

14

15

16

17

18

19

20

21

samedi 8
Saint Thibaut

dimanche 9
Sainte Amandine

juillet

quiz?

221
Avec quel club Enzo Scifo a-t-il remporté la Coupe UEFA en 1984 ?
Auxerre — Inter Milan — Anderlecht.

222
En quelle année les cinq clubs français engagés en Coupe d'Europe n'ont-ils passé aucun tour ?
1965 — 1971 — 1982.

223
Quel est le meilleur buteur toutes Coupes d'Europe confondues pour un club français ?
Jean-Pierre Papin — George Weah — Sonny Anderson.

224
Quel club français détient en 2005 le record de participations en Coupe d'Europe ?
Marseille — Saint-Étienne — Bordeaux.

225
Où se déroulera le prochain Euro 2008 ?
En Suisse et en Autriche — en Slovénie et en Croatie — en République tchèque et en Slovaquie.

lundi 10 Saint Ulrich

7

8

9

10

11

12

13

14

15

16

17

18

19

20

21

mardi 11 Saint Benoît

7

8

9

10

11

12

13

14

15

16

17

18

19

20

21

mercredi 12
Saint
Olivier

ROMARIO
Brésil — Joueur de 1980 à 2004

Du haut de son mètre 69, Romario s'est affirmé comme l'avant-centre le plus efficace des années 90. Après des débuts prometteurs à Vasco de Gama, l'attaquant brésilien débarque en Europe, plus précisément aux Pays-Bas. De 1988 à 1993, il fera le bonheur du PSV Eindhoven, terminant quatre fois meilleur buteur du championnat. Il prendra ensuite la direction du FC Barcelone, devenant l'un des acteurs majeurs de la Dream Team de Johan Cruyff. Deux fois champion d'Espagne, meilleur buteur en 1994, son talent éclabousse la terre entière. La même année, il remporte avec le Brésil la Coupe du Monde, dont il est également élu meilleur joueur. 1994 sera sa meilleure saison, la FIFA lui décernant le titre de joueur de l'année. Avec la sélection brésilienne, Romario a inscrit 70 buts en 87 sélections, ce qui fait de lui le deuxième meilleur buteur auriverde après Pelé.

▶ *victoire de la France*
en coupe du monde 1998

jeudi 13 Saints Henri, Joël

7

8

9

10

11

12

13

14

15

16

17

18

19

20

21

vendredi 14 FÊTE NATION

7

8

9

10

11

12

13

14

15

16

17

18

19

20

21

quiz? juillet

236
En quelle année se déroule le premier Euro de football ?
1960 — 1972 — 1984.

237
Quel gardien de but espagnol a relâché le ballon et offert un but à la France en finale de l'Euro 1984 ?
Zubizarreta — Arconada — César.

228
Dans quel club jouait Simonsen, le Ballon d'Or 1977 ?
Mönschengladbach — Hambourg — Bayern Munich.

229
Quelle est la nationalité de Hristo Stoïchkov ?
Yougoslave — bulgare — slovaque.

230
Mickaël Madar a-t-il déjà été sélectionné en équipe de France ?
Oui — non.

RÉPONSES !
226 : 1960 / 227 : Arconada
228 : Mönschengladbach / 229 : Bulgare
230 : Oui.

lundi 17 Sainte Charlotte

7 ....
....
8 ....
....
9 ....
....
10 ....
....
11 ....
....
12 ....
....
13 ....
....
14 ....
....
15 ....
....
16 ....
....
17 ....
....
18 ....
....
19 ....
....
20 ....
....
21 ....
....

mardi 18 Saint Frédéric

7 ....
....
8 ....
....
9 ....
....
10 ....
....
11 ....
....
12 ....
....
13 ....
....
14 ....
....
15 ....
....
16 ....
....
17 ....
....
18 ....
....
19 ....
....
20 ....
....
21 ....
....

mercredi19

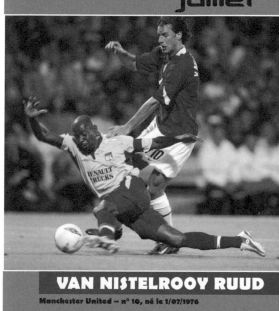

VAN NISTELROOY RUUD

Manchester United – n° 10, né le 1/07/1976

Découvert alors qu'il évoluait à Den Bosch en D 2 néerlandaise, il est repositionné en attaquant de pointe à Heerenveen où sa puissance et son sens du but seront les cauchemars des défenseurs. En 1998, le PSV Eindhoven l'arrache pour 6,3 millions d'euros, soit le record de transfert aux Pays-Bas. Prenant modèle sur Dennis Bergkamp, van Nistelrooy ne décevra pas ses entraîneurs Bobby Robson et Erik Gerets en marquant 60 buts en 57 matches de championnat ! Mais, à la veille de l'Euro 2000, une rupture des ligaments croisés du genou stoppe brutalement sa marche en avant. Heureusement, Alex Ferguson, l'entraîneur de Manchester United, le soutient puis l'enrôle en 2001 pour 30 millions d'euros. Véritable machine à marquer (68 buts en 98 matches), van Nistelrooy se sent tellement bien chez les Red Devils qu'il a décidé d'y terminer sa carrière.

jeudi 20 <small>Sainte Marina</small>

7 ....

8 ....

9 ....

10 ....

11 ....

12 ....

13 ....

14 ....

15 ....

16 ....

17 ....

18 ....

19 ....

20 ....

21 ....

vendredi 21 <small>Saint Victo</small>

7 ....

8 ....

9 ....

10 ....

11 ....

12 ....

13 ....

14 ....

15 ....

16 ....

17 ....

18 ....

19 ....

20 ....

21 ....

samedi 22
Sainte Marie-Madeleine

....
....
....
....
....
....
....
....
....
....
....

dimanche 23
Sainte Brigitte

....
....
....
....
....
....
....
....
....
....
....
....
....

231 Quel pays remporte la médaille d'or olympique en football en 1984 ?
La France — le Brésil — l'Italie.

232 Gueugnon a-t-il déjà participé à une Coupe d'Europe ?
Oui — non.

233 Quel pays remporte la Copa America en 2004 ?
L'Argentine — le Brésil — la Colombie.

234 Quel est le premier arbitre français à avoir officié dans une rencontre de Coupe Intercontinentale ?
M. Schwinte — M. Vautrot — M. Wurtz.

235 Éric Cantona faisait-il partie de l'équipe de Manchester United lors de son succès en Ligue des Champions en 1999 ?
Oui — non.

RÉPONSES :
231 : La France / **232** : oui / **233** : le Brésil
234 : M. Schwinte / **235** : Non.

lundi 24 Sainte Christine

7	
8	
9	
10	
11	
12	
13	
14	
15	
16	
17	
18	
19	
20	
21	

mardi 25 Saint Jacques

7	
8	
9	
10	
11	
12	
13	
14	
15	
16	
17	
18	
19	
20	
21	

mercredi 26

Sainte Anne,
Saint Joachim

EUSEBIO
Portugal - joueur de 1958 à 1978

Natif du Mozambique, ancienne colonie
portugaise, Eusebio arrive à 18 ans à
Lisbonne sur fond de polémique. Les deux
clubs de la capitale, le Sporting et le Benfica,
se disputent les faveurs de ce jeune et
puissant attaquant. « La panthère noire »
optera finalement pour Benfica avec lequel
il jouera son premier match et marquera son
premier but face au Santos de Pelé lors d'un
tournoi à Paris. Un but suivi de 317 autres en
301 rencontres de championnat portugais.
Au fait de sa gloire, Eusebio remportera la
Coupe des Clubs Champions aux dépens du
Real Madrid en 1962, décrochera le Ballon
d'Or en 1965, puis mènera le Portugal sur
le podium de la Coupe du Monde (3e place)
l'année suivante. Icône lusitanienne, Eusebio
s'offrira une préretraite dorée dans le
championnat américain, de 1974 à 1978.

jeudi 27 Sainte Nathalie

7
8
9
10
11
12
13
14
15
16
17
18
19
20
21

vendredi 28 Saint Sams

7
8
9
10
11
12
13
14
15
16
17
18
19
20
21

samedi 29
Sainte Marthe

dimanche 30
Sainte Juliette

236 Qui est considéré comme le meilleur arbitre du monde et prend sa retraite en 2005 ?
M. Frisk — M. Collina — M. Merk.

237 Contre quelle équipe Valence a-t-elle remporté la Coupe UEFA en 2004 ?
Marseille — Parme — La Corogne.

238 Dans quel club Zidane a-t-il été formé ?
Cannes — Bordeaux — Marseille.

239 Contre qui le Paris SG perd-il en finale de la Coupe des Coupes en 1997 ?
Leverkusen — Chelsea — Barcelone.

240 Jean-Pierre Papin faisait-il partie de l'OM qui a vaincu le Bayern Munich en finale de la Ligue des Champions en 1993 ?
Oui — non.

LES GRANDS M

Le Real Madrid, premier grand d'Europe

Première équipe à dominer l'Europe,
le Real Madrid s'est construit autour de
performances encore inégalées sur la scène
continentale. Di Stefano, Gento,
Puskas ou Kopa ont marqué l'histoire
des Merengues qui en écrivent chaque
saison une nouvelle page.

Le Real madrid
grand d'Europe

d'origine argentine, sera d'ailleurs l'un des éléments clés du succès en finale face au Stade de Reims. Alors que les partenaires de Raymond Kopa mènent 0-2 dans un Parc des Princes acquis à leur cause, Di Stefano orchestre la remontée fantastique Real qui s'impose sur le fil (4-3). Le premier titre eu péen de l'Histoire va donc orner les vitrines du R Madrid ! Après avoir vaincu la Fiorentina puis le Mi AC les deux saisons suivantes, les Madrilènes retro vent les Rémois en finale en 1959 pour une revanc au Neckerstadion de Stuttgart. Cette fois, Kopa troqué sa tunique champenoise pour la castilla

1956-1960

En 1955, pour mettre fin aux querelles de chapelles qui agitaient le microcosme du football et couper court aux revendications de chaque équipe championne sur son territoire national qui s'autoproclamait meilleure d'Europe, la Coupe d'Europe des Clubs Champions a été créée. Une compétition simple, à laquelle participent 16 équipes dès sa première édition. De l'Espagne à l'Écosse en passant par la Saxe et la Suède, 16 nations sont représentées et en décousent par des affrontements aller-retour qualificatifs pour le tour suivant. Au cours de l'épreuve, une équipe se détache du lot et réalise un parcours empreint de panache : le Real Madrid. Le club de Bernabéu joue un football ouvert et ambitieux. Pas une de ses rencontres ne s'achève sur un score nul ou vierge, il marque d'ailleurs 20 buts en 7 rencontres. Di Stefano, le maître à jouer madrilène

LA FEUILLE DE MATCH
REAL MADRID, PREMIER VAINQUEUR DE
LA COUPE DES CLUBS CHAMPIONS

REAL MADRID CF – Stade de Reims 4-3 (2-2)
13 juin 1956, Paris
Parc des Princes (38 239 spectateurs)

Real Madrid :
Alonso - Atienza,
Marquitos, Lesmes –
Muñoz (c), Zarraga -
Joseito, Marsal, di Stefano,
Rial, Gento.
Entraîneur : José Villalonga.
Buts : di Stefano, 14° ;
Rial, 30° ; Marquitos, 67° ;
Rial, 79°.

Stade de Reims :
Jacquet - Zimny, Jonque
Giraudo - Leblond, Siath
Hidalgo, Glovacki, Kopa
Bliard, Templin.
Entraîneur : Albert Batte
Buts : Leblond, 6° ;
Templin, 10° ; Hidalgo, 6

premier

antoni, Fontaine et Vincent ne peuvent rien face
x cinq attaquants de la capitale espagnole et s'in-
nent 2-0, après que Colonna ait arrêté un penalty.
exorablement, le Real Madrid se construit un pal-
arès de légende, parachevé par un succès 7-3 face
Eintracht Frankfurt en 1960. Les Espagnols rem-
rtent ainsi cinq couronnes européennes
nsécutives ! Le retour sur terre en 1961 est dou-
ureux et marque la fin d'une époque. Le Real
cline dès le premier tour de la compétition face
on grand rival,
FC Barcelone.
e cruelle désillu-
n qui ne masque
urtant pas l'am-
eur de leur
mination conti-
ntale durant cinq
sons.

Dans le camp rémois, lors de la
première finale de Coupe des
Clubs Champions, Raymond Kopa
sera transféré au Real Madrid
la saison suivante et sera même
élu Ballon d'Or en 1958.

Argentin d'origine, Alfredo
Di Stefano part pour la Colombie,
où il acquiert la nationalité avec
de s'envoler pour l'Espagne sur
les conseils de Hector Rial qu'il
rejoint au Real Madrid. Il obtient
également un passeport espagnol
et jouera pour l'équipe nationale
ibérique.

Après avoir fait venir Rial, Gento,
Di Stefano et Kopa, Santiago
Bernabeu transfère l'Uruguayen
José Santamaria, révélé lors de la
Coupe du Monde 1954 en Suisse.

lundi 31 Saint Ignace de Loyola

7 ....
....
8 ....
....
9 ....
....
10 ....
....
11 ....
....
12 ....
....
13 ....
....
14 ....
....
15 ....
....
16 ....
....
17 ....
....
18 ....
....
19 ....
....
20 ....
....
21 ....
....

mardi 1 Saint Alphonse

7 ....
....
8 ....
....
9 ....
....
10 ....
....
11 ....
....
12 ....
....
13 ....
....
14 ....
....
15 ....
....
16 ....
....
17 ....
....
18 ....
....
19 ....
....
20 ....
....
21 ....
....

mercredi 2

Saint Julien
Eymard

NEDVED PAVEL

Juventus Turin — n° 11, né le 30/08/1972

Si, en République tchèque, le sport national reste le hockey, le sportif le plus populaire est bien Pavel Nedved. Alors milieu de terrain du Sparta Prague, il tente l'aventure en Italie et opte en 1996 pour la Lazio Rome. Véritable chouchou du Stadio Olimpico, le Tchèque décide néanmoins de changer d'horizon en 2001 et de rejoindre la Juventus Turin avec pour lourde tâche de remplacer Zidane. C'est dans le club lombard qu'il va s'épanouir et remporter en 2003 le titre de Ballon d'Or. Une consécration qui vient ponctuer une saison remarquable, le sacrant également champion d'Italie. Gaucher, adepte du jeu court et capable de frapper dans toutes les positions, Nedved possède un sens inné du jeu. Star parmi les stars, il cherche désormais un trophée collectif international qui parachèverait une carrière déjà bien remplie.

jeudi 3 Sainte Lydie

7 ....
....
8 ....
....
9 ....
....
10 ....
....
11 ....
....
12 ....
....
13 ....
....
14 ....
....
15 ....
....
16 ....
....
17 ....
....
18 ....
....
19 ....
....
20 ....
....
21 ....
....

vendredi 4 Saint J.-Vianney

7 ....
....
8 ....
....
9 ....
....
10 ....
....
11 ....
....
12 ....
....
13 ....
....
14 ....
....
15 ....
....
16 ....
....
17 ....
....
18 ....
....
19 ....
....
20 ....
....
21 ....
....

samedi 5
Saint
Abel

1
2
3
4
5
6
7
8
9

dimanche 6
TRANSFI-
GURATION

1
2
3
4
5
6
7
8
9

quiz? août

241 Dans quelle ville joue Schalke 04 ?
Bochum — Cologne — Gelsenkirchen.

242 Comment s'appelle le stade du
PSV Eindhoven ?
Sony Stadium — Philips Stadion
— Pioneer Arena.

243 Quel est le surnom des joueurs
de Nice ?
Les Aiglons — les Mouettes
— les Colombes.

244 Qu'est-ce qu'un « une-deux » ?
Un redoublement de passes entre deux
joueurs — une reprise et deux tacles
— le nombre de jongles consécutives
de Ronaldinho.

245 Combien de fois Abédi Pelé a-t-il
obtenu le Ballon d'Or africain ?
1 — 2 — 3.

lundi7  Saint Gaétan

mardi8 Saint Dominique

lundi 7

7 ....
....
8 ....
....
9 ....
....
10 ....
....
11 ....
....
12 ....
....
13 ....
....
14 ....
....
15 ....
....
16 ....
....
17 ....
....
18 ....
....
19 ....
....
20 ....
....
21 ....
....

mardi 8

7 ....
....
8 ....
....
9 ....
....
10 ....
....
11 ....
....
12 ....
....
13 ....
....
14 ....
....
15 ....
....
16 ....
....
17 ....
....
18 ....
....
19 ....
....
20 ....
....
21 ....
....

mercredi9 <small>Saint Amour</small>

WEAH GEORGE
Libéria - joueur de 1981 à 2002

Rapidement à l'étroit dans un championnat du Libéria aux ambitions limitées, George Weah intègre alors le Tonnerre de Yaoundé où il tape dans l'œil des émissaires de Monaco. Le club de la Principauté, conscient d'avoir découvert un joyau brut, l'intègre en 1988. En 23 matches, il marque 14 buts et décroche à la surprise générale le titre de Ballon d'Or africain de l'année. Progressant à pas de géant, le Libérien devient incroyable de puissance et de maîtrise technique, faisant profiter le Paris SG de ses qualités en lui offrant le doublé coupe-championnat en 1994. Le Milan AC le courtisera et « Mister George » y réalisera ses cinq plus belles saisons de footballeur avant d'écumer différents clubs comme Chelsea, Manchester City ou Marseille. Ambassadeur de l'UNICEF et briguant la présidence de son pays, Weah est devenu une véritable icône sur tout le continent africain.

jeudi 10 Saint Laurent

7

8

9

10

11

12

13

14

15

16

17

18

19

20

21

vendredi 11 Sainte Claire

7

8

9

10

11

12

13

14

15

16

17

18

19

20

21

samedi 12

....
....
....
....
....
....
....
....
....
....

dimanche 13
Saint Hippolyte

....
....
....
....
....
....
....
....
....
....
....

ANNIVERSAIRES
SHEARER
OKOCHA

quiz? août

246
Contre quel pays l'équipe de France a-t-elle disputé le plus de rencontres internationales ?
Espagne — Italie — Belgique.

247
Qui était le sélectionneur de l'équipe de France lors de la victoire à l'Euro 2000 ?
Jacques Santini — Roger Lemerre — Aimé Jacquet.

248
Pour quel club Christian Karembeu a-t-il joué après son départ de Nantes ?
Sampdoria Gênes — Real Madrid — Olympiakos Le Pirée.

249
Quelle équipe a révélé Valérien Ismaël ?
Lens — Strasbourg — Rennes.

250
Avant de faire les beaux jours de l'AS Roma, pour qui jouait Vincent Candela ?
Nice — Sochaux — Guingamp.

RÉPONSES :
246 : Belgique / **247** : Roger Lemerre
248 : Sampdoria Gênes / **249** : Strasbourg
250 : Guingamp.

lundi 14 Saint Évrard

7 ....
....
8 ....
....
9 ....
....
10 ....
....
11 ....
....
12 ....
....
13 ....
....
14 ....
....
15 ....
....
16 ....
....
17 ....
....
18 ....
....
19 ....
....
20 ....
....
21 ....
....

mardi 15 ASSOMPTION

7 ....
....
8 ....
....
9 ....
....
10 ....
....
11 ....
....
12 ....
....
13 ....
....
14 ....
....
15 ....
....
16 ....
....
17 ....
....
18 ....
....
19 ....
....
20 ....
....
21 ....
....

mercredi16

SHEARER ALAN
Newcastle United – n° 9, né le 13/08/1970

C'est dès l'âge de 17 ans et dans le club sans pression de Southampton qu'Alan Shearer fourbit ses armes d'attaquant. Puissant, impressionnant dos au but et doté d'un des meilleurs jeux de tête du monde, Shearer terrasse les défenses anglaises et s'attire les faveurs de Blackburn. Il mènera les Rovers au titre de champion d'Angleterre (1995), le seul qui ait échappé au duo Manchester-Arsenal ces dix dernières années. Il remporte également le trophée de meilleur buteur et joueur de Premier League. En 1996, Newcastle le recrute pour 21 millions d'euros, et il devient à l'époque le joueur le plus cher de l'histoire du football. Un prix qu'il va justifier en ravissant une nouvelle fois la couronne de meilleur réalisateur anglais (25 buts en 1996/97). Depuis, le « Magpie » a signé son 250ᵉ but, devenant ainsi l'attaquant en activité le plus efficace en Premier League.

jeudi 17 Saint Hyacinthe

7

8

9

10

11

12

13

14

15

16

17

18

19

20

21

vendredi 18 Sa H

7

8

9

10

11

12

13

14

15

16

17

18

19

20

21

samedi 19

- 7
- 8
- 9
- 0
- 1
- 2
- 3
- 4
- 5
- 6
- 7
- 8
- 9

dimanche 20

- 7
- 8
- 9
- 0
- 1
- 2
- 3
- 4
- 5
- 6
- 7
- 8
- 9

quiz? août

251
Quel est le vrai nom de Ronaldo ?
Filipe Rosario — Luiz Nazario de Lima — Joao Paulo Ronaldi.

252
De quelle nationalité est Jimmy-Floyd Hasselbaink ?
Néerlandaise — anglaise — écossaise.

253
Quel est le dernier joueur à avoir reçu la distinction du Soulier d'Or récompensant l'attaquant le plus prolifique d'europe ?
Halilhodzic — Van Basten — Pancev.

254
Quelle est la nationalité de Hugo Sanchez, l'ancien attaquant du Real Madrid ?
Espagnole — mexicaine — argentine.

255
Qui a été élu meilleur buteur du championnat des Pays-Bas trois fois lors des quatre dernières saisons ?
Robben — Kezman — Van Hooijdonk.

RÉPONSES :
251 : Luiz Nazario de Lima
252 : Néerlandaise / **253** : Pancev
254 : Mexicaine / **255** : Kezman.

lundi 21 Saint Christophe

7 ....
....
8 ....
....
9 ....
....
10 ....
....
11 ....
....
12 ....
....
13 ....
....
14 ....
....
15 ....
....
16 ....
....
17 ....
....
18 ....
....
19 ....
....
20 ....
....
21 ....
....

mardi 22 Saint Fabrice

7 ....
....
8 ....
....
9 ....
....
10 ....
....
11 ....
....
12 ....
....
13 ....
....
14 ....
....
15 ....
....
16 ....
....
17 ....
....
18 ....
....
19 ....
....
20 ....
....
21 ....
....

mercredi 23

Sainte Rose
de Lima

OKOCHA JAY JAY

Bolton – n° 10, né le 14/08/1973

Il y a peu de choses que « Jay Jay » Okocha,
joueur fantasque, ne sache pas faire sur un
terrain. Techniquement surdoué, le Nigérian
exporte son talent depuis 1992, date de son
arrivée à Francfort. Après quatre ans en Allemagne,
il éclate au Fenerbahçe Istanbul, où ses
apparitions déclenchent l'hystérie. Il débarque
en 1998 au Paris Saint-Germain contre une
indemnité de 14 millions d'euros, mais rassure
les supporters dès son premier match en
décochant un missile aux 30 mètres dont Ulrich
Ramé, le gardien de Bordeaux, se souvient encore.
Insaisissable entre ses passements de jambes et
ses feintes à casser les reins des défenseurs,
« Jay Jay » devient rapidement l'idole du Parc
des Princes. Son départ pour Bolton en 2002 est
un déchirement pour les fans parisiens. Reste
pour lui à étoffer un palmarès indigne de son
talent, malgré un succès aux JO d'Atlanta en
1996 avec les Super Eagles du Nigeria.

jeudi24 Saint Barthélemy

7

8

9

10

11

12

13

14

15

16

17

18

19

20

21

vendredi25 Sai Lou

7

8

9

10

11

12

13

14

15

16

17

18

19

20

21

samedi 26

....

....

....

....

....

....

....

....

....

dimanche 27

....

....

....

....

....

....

....

....

....

....

Quiz? août

256 Quel est le détenteur du record de sélections en équipe d'Espagne ?
Raul — Sanchis — Zubizarreta.

257 Dans quel club Ailton, le meilleur buteur de Bundesliga en 2004 joue-t-il ?
Schalke 04 — Werder Brême — Wolfsbourg.

258 Pour quel pays joue Zlatan Ibrahimovic, l'attaquant de la Juventus Turin ?
Suède — Croatie — Serbie.

259 Les Pays-Bas ont-ils déjà remporté le tournoi olympique de football ?
Oui — non.

260 Où jouait Shabani Nonda avant d'être transféré à Rennes en 1998 ?
FC Zurich — Sporting Lisbonne — Austria Vienne.

Réponses :
256 : Zubizarreta / **257 :** Schalke 04
258 : Suède / **259 :** non / **260 :** FC Zurich.

lundi 28 Saint Augustin

7 ....
....
8 ....
9 ....
10 ....
11 ....
12 ....
13 ....
14 ....
15 ....
16 ....
17 ....
18 ....
19 ....
20 ....
21 ....

mardi 29 Sainte Sabine

7 ....
....
8 ....
9 ....
10 ....
11 ....
12 ....
13 ....
14 ....
15 ....
16 ....
17 ....
18 ....
19 ....
20 ....
21 ....

mercredi 30

DI STEFANO ALFREDO

Argentine-Espagne, joueur de 1947 à 1965

La légende du Real Madrid, sacré meilleur club du siècle dernier, est liée au destin d'un joueur légendaire, Alfredo Di Stefano. Né à Buenos Aires en 1926, l'Argentin débute sa carrière à River Plate avant de prendre la direction de la Colombie. Buteur prolifique au Millionarios de Bogota (267 en 293 matchs), il rejoint le Real Madrid en 1953. L'histoire d'amour peut enfin commencer. En onze saisons chez les Merengues, Di Stefano remporte huit Ligas et est sacré cinq fois meilleur buteur du championnat. À cette époque, le Real plane sur l'Europe. Avec Di Stefano à la pointe de l'attaque, la « maison blanche » s'adjuge cinq Coupes d'Europe de suite. Dans le même temps, son buteur vedette glane deux Ballons d'Or. Au final, Di Stefano marquera pour le Real 454 buts en 684 matches, dont 49 en Coupe d'Europe !

▶ ANNIVERSAIRE
NEDVED

jeudi 31 Saint Aristide

7

8

9

10

11

12

13

14

15

16

17

18

19

20

21

vendredi 1 Saint Gilles

7

8

9

10

11

12

13

14

15

16

17

18

19

20

21

samedi 2
Sainte Ingrid

----

dimanche 3
Saint Grégoire

QUIZ?
août - sept.

261
Quel est le dernier Français à avoir remporté le classement des buteurs en Série A italienne ?
Platini — Papin — Trezeguet.

262
Pour quel club anglais David Bellion joue-t-il en 2005 ?
Manchester United — Sunderland — Newcastle.

263
Quel est le surnom des joueurs de Tottenham ?
Les Hot spurs — les Crazy Horses — les Cow-boys.

264
Qui a été élu meilleur joueur du championnat de France en 2004 ?
Juninho — Giuly — Drogba.

265
Dans quel club Ludovic Giuly a-t-il été transféré à son départ de Monaco ?
Barcelone — Lyon — Madrid.

victoire du PSG en coupe des coupes

Marseille l'avait fait. Paris se devait de briller

de mille feux sur l'Europe. Si ce n'est pas la

coupe aux grandes oreilles que l'équipe de Raï

a ramenée dans la capitale, c'est bel et bien

un trophée européen inédit dans l'histoire du

football français.

victoire du PSG
coupe des cou

Jancker. Les Parisiens prennent la rencontre par le bon bout, mais la blessure de Raï à la 12ᵉ minute contrecarre les projets tactiques de Luis Fernandez, qui lance Dely Valdès sur la pelouse. Le temps de se réorganiser, le PSG laisse passer l'orage viennois et

relève progressivement la tête grâce à Djorka repositionné meneur de jeu. Il tente une super reprise de volée à la 20e minute, mais sans suc Quelques minutes après, il décale Bruno Ngo dont la puissante frappe se loge dans les filets

8 MAI 1996 (STADE DU ROI BAUDOUIN, BRUXELLES)

L'Olympique Marseille avait déjà défloré le palmarès des clubs français en remportant enfin un titre continental en 1993. Alors que la tension entre l'OM et le PSG atteint son paroxysme, le plus fervent désir des Parisiens est d'égaler le concurrent phocéen en décrochant une palme européenne. Au moment où le championnat touche à sa fin, deux mauvais résultats face à Martigues et à Lille balayent les espoirs parisiens de ravir un nouveau titre de champion de France. Reste donc la Coupe des Vainqueurs de Coupes, dans laquelle le Paris Saint-Germain a particulièrement brillé. Molde, mais surtout le Celtic Glasgow dominé à domicile (0-3), Parme et La Corogne essuient les foudres de Parisiens réalistes et performants. En finale, l'équipe de Luis Fernandez retrouve sur son chemin l'Austria Vienne de Carsten

LA FEUILLE DE MATCH
VICTOIRE DU PSG
EN COUPE DES COUPES 1996

PARIS SAINT GERMAIN FC PARIS — Rapid Vienne 1-0 (1-0
8 mai 1996, Bruxelles
Stade Roi Baudouin (37 000 spectateurs)

● **Paris-SG :**
Lama - Roche, Le Guen, N'Gotty - Fournier (77ᵉ Llacer), Bravo, Raï (12ᵉ Dely Valdes), Guérin, Colleter - Loko, Djorkaeff.
Entraîneur : Luis Fernandez
But : N'Gotty, 28ᵉ.

● **Rapid Vienne :**
Konsel - Schöttel, Ivano
Hatz - Herat, Kühbaue
Stöger, Guggi, Marasek
Stumpf (46ᵉ Barisic),
Jancker.
Entraîneur : Ernst Dok

en
es

oncel, le gardien autri-
ien, surpris et battu par la
tesse de la balle. Les 15 000
pporters parisiens qui ont
it le voyage à Bruxelles
euvent exulter. Parfaite-
ent préparés mentalement
ar Yannick Noah et physi-
uement par une mise au
rt dans le centre de tha-
ssothérapie de Serge
anco, les Parisiens tiennent le résultat et offrent à
France du football un second trophée sur la scène
ropéenne.

infos

Si l'affiche PSG-Rapid Vienne n'est
pas des plus prestigieuses pour
une finale de Coupe d'Europe, le
parcours du club parisien rappelle
la valeur de leur succès : les
hommes de Fernandez ont
dominé le Celtic Glasgow, Parme
et La Corogne avant de se jouer
des Autrichiens.

Le dépositaire du jeu parisien,
Raï, n'aura joué que 12 petites
minutes dans cette finale. Blessé,
le Brésilien laisse sa place à Dely
Valdès qui offre un visage
résolument offensif au PSG.
Un avatar qui libère
paradoxalement Djorkaeff,
dont le récital éblouira les
15 000 supporters parisiens qui
ont fait le déplacement à
Bruxelles.

répertoire ABC

répertoire DEF

répertoire GHI

répertoire JKL

répertoire mno

P
Q
R

répertoire STUV

STUV

répertoire wxyz

Palmarès des coupes

10 derniers vainqueurs coupe de France

Année	Vainqueur	Finaliste	Score
2006	------	------	---
2005	------	------	---
2004	Paris-SG	Châteauroux	1-0
2003	Auxerre	Paris-SG	2-1
2002	Lorient	Bastia	1-0
2001	Strasbourg	Amiens	0-0, 5 tab à 4
2000	FC Nantes	Calais	2-1
1999	FC Nantes	Sedan	1-0
1998	Paris-SG	RC Lens	2-1
1997	OGC Nice	En Avant Guingamp	1-1, 4 tab à 3

10 derniers vainqueurs coupe de la Ligue

Année	Vainqueur	Finaliste	Score
2006	-----	----	---
2005	Strasbourg	Caen	2-1
2004	Sochaux	Nantes	1-1, 5 tab à 4
2003	Monaco	Sochaux	4-1
2002	Bordeaux	Lorient	3-0
2001	Lyon	Monaco	2-1
2000	Gueugnon	Paris SG	2-0
1999	Lens	Metz	1-0
1998	Paris SG	Bordeaux	2-2, 4 tab à 2
1997	Strasbourg	Bordeaux	0-0, 6 tab à 5

10 derniers vainqueurs coupe UEFA

Année	Vainqueur	Finaliste	Score
2006	------	------	---
2005	CSKA Moscou (RUS)	Sp. Lisbonne (POR)	3-1
2004	FC Valence (ESP)	Marseille (FRA)	2-0
2003	FC Porto (Por)	Celtic Glasgow (Eco)	3-2
2002	Feyenoord (PB)	Dortmund (ALL)	3-2
2001	Liverpool (ANG)	Alavès (ESP)	5-4 a.p.
2000	Galatasaray Istanbul (TUR)	Arsenal (ANG)	0-0 4 tab à 1
1999	Parme (ITA)	Marseille (FRA)	3-0
1998	Inter Milan (ITA)	Lazio Rome (ITA)	3-0
1997	Schalke 04 (ALL)	Inter Milan (ITA)	0-1, 1-0 4 tab à 1

10 derniers vainqueurs Ligue des champions

Année	Vainqueur	Finaliste	Score
2006	------	------	---
2005	Résultat le 25 mai	-----	---
2004	FC Porto (POR)	Monaco (FRA)	3-0
2003	Milan AC (ITA)	Juventus Turin (ITA)	0-0 (3 tab à 2)
2002	Real Madrid (ESP)	Bayer Leverkusen (ALL)	2-1
2001	Bayern Munich (ALL)	Valence FC (ESP)	1-1 (5 tab à 4)
2000	Real Madrid (ESP)	Valence FC (ESP)	3-0
1999	Manchester United (ANG)	Bayern Munich (ALL)	2-1
1998	Real Madrid (ESP)	Juventus Turin (ITA)	1-0
1997	Borussia Dortmund (ALL)	Juventus Turin (ITA)	3-1

Les champions
en europe 2005/2006

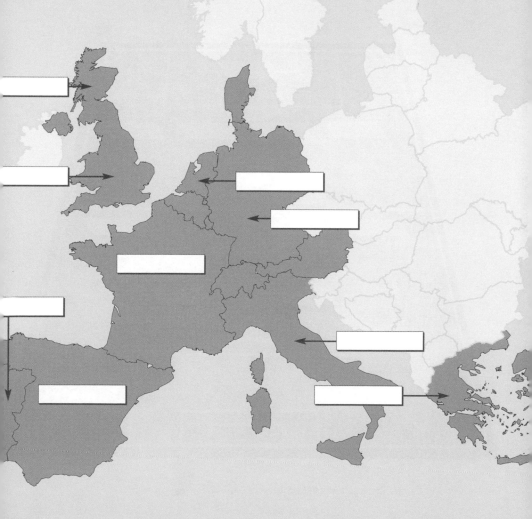

cris les noms des équipes vainqueurs du championnat dans chaque pays.

L'équipe-type
de la saison 2005/2006

Inscris les noms des meilleurs joueurs par poste.

Palmarès individuels de l'année

ALMARÈS BALLONS D'OR EUROPÉENS

005	----------	---	------	1980	K-H Rummenigge	ALL	Bayern Munich
004	Andrei Shevchenko	UKR	Milan AC	1979	Kevin Keegan	ANG	Hambourg SV
003	Pavel Nedved	RTC	Juventus Turin	1978	Kevin Keegan	ANG	Hambourg SV
002	Ronaldo	BRE	Real Madrid	1977	Alan Simonsen	DAN	Borussia M'Gladbach
001	Michael Owen	ANG	Liverpool FC	1976	Franz Beckenbauer	ALL	Bayern Munich
000	Luis Figo	POR	Real Madrid	1975	Oleg Blokhine	UKR	Dynamo de Kiev
999	Rivaldo	BRE	FC Barcelone	1974	Johan Cruyff	PBS	Ajax d'Amsterdam
998	**Zinedine Zidane**	FRA	**Juventus de Turin**	1973	Johan Cruyff	PBS	Ajax d'Amsterdam
997	Ronaldo	BRE	Inter de Milan	1972	Franz Beckenbauer	ALL	Bayern Munich
996	Matthias Sammer	ALL	Borussia Dortmund	1971	Johan Cruyff	PBS	Ajax d'Amsterdam
995	Georges Weah	LIB	Milan AC	1970	Gert Müller	ALL	Bayern Munich
994	Hristo Stoïchkov>	BUL	FC Barcelone	1969	Gianni Rivera	ITA	Milan AC
993	Roberto Baggio	ITA	Juventus de Turin	1968	George Best	ANG	Manchester United
992	Marco Van Basten	PBS	Milan AC	1967	Florian Albert	HON	Ferencvaros
991	**Jean-Pierre Papin**	FRA	**Olympique de Marseille**	1966	Bobby Charlton	ANG	Manchester United
990	Lothar Matthäus	ALL	Inter de Milan	1965	Eusebio	POR	Benfica de Lisbonne
989	Marco Van Basten	PBS	Milan AC	1964	Denis Law	ECO	Manchester United
988	Marco Van Basten	PBS	Milan AC	1963	Lev Yachine	URSS	Dynamo de Moscou
987	Ruud Gullit	PBS	Milan AC	1962	Josef Masopust	RTC	Dukla de Prague
986	Igor Belanov	UKR	Dynamo de Kiev	1961	Omar Sivori	ITA	Juventus de Turin
985	**Michel Platini**	FRA	**Juventus de Turin**	1960	Alfredo Suarez	ESP	FC Barcelone
984	**Michel Platini**	FRA	**Juventus de Turin**	1959	Alfredo Di-Stefano	ESP	Real Madrid
983	**Michel Platini**	FRA	**Juventus de Turin**	1958	**Raymond Kopa**	FRA	**Real Madrid**
982	Paolo Rossi	ITA	Juventus de Turin	1957	Alfredo Di-Stefano	ESP	Real Madrid
981	K-H Rummenigge	ALL	Bayern Munich	1956	Stanley Matthews	ANG	Blackpool

ALMARÈS JOUEURS FIFA

005	----------	---	------	1997	Ronaldo	BRE	Inter Milan
004	Ronaldinho	BRE	FC Barcelone	1996	Ronaldo	BRE	FC Barcelone
003	Zinédine Zidane	FRA	Real Madrid	1995	George Weah	LIB	Milan AC
002	Ronaldo	BRE	Real Madrid	1994	Romario	BRE	FC Barcelone
001	Luis Figo	POR	Real Madrid	1993	Roberto Baggio	ITA	Juventus Turin
000	Zinédine Zidane	FRA	Juventus Turin	1992	Marco Van Basten	NER	Milan AC
999	Rivaldo	BRE	FC Barcelone	1991	Lothar Matthäus	ALL	Bayern Munich
998	Zinédine Zidane	FRA	Juventus Turin				

notes

notes

Crédits photos : FEP

Conception graphique : Béatrice Canard-Patrat
Maquette : Natacha Marmouget
Collaboration éditoriale : Charles-Hervé Petit,
Pierre-Olivier Bouché, Sylvain Bodin

© 2005 Éditions Mango
Photogravure : SNO
Achevé d'imprimer en juin 2005 par Pollina, en France - n° L97004
N° d'édition : M05045
ISBN : 2-84270-540-8